COLLECTION FONDÉE EN 1984
PAR ALAIN HORIC
ET GASTON MIRON

TYPO EST DIRIGÉE PAR
MARIE-CLAUDE BARRIÈRE
ROBERT LALIBERTÉ
SIMONE SAUREN
ET JEAN-YVES SOUCY

TYPO bénéficie du soutien de la Société de développement des entreprises culturelles du Québec (SODEC) pour son programme d'édition.

Gouvernement du Québec – Programme de crédit d'impôt pour l'édition de livres – Gestion SODEC.

Nous reconnaissons l'aide financière du gouvernement du Canada par l'entremise du Programme d'aide au développement de l'industrie de l'édition (PADIÉ) pour nos activités d'édition.

Nous remercions le Conseil des Arts du Canada de l'aide accordée à notre programme de publication.

BLEU DE DELFT

LOUISE WARREN

Bleu de Delft

Archives de solitude

Essai

TYPO

Éditions TYPO
Une division du groupe Ville-Marie Littérature
1010, rue de La Gauchetière Est
Montréal, Québec H2L 2N5
Tél.: (514) 523-1182
Téléc.: (514) 282-7530
Courriel: vml@sogides.com

Maquette de la couverture: Nicole Morin
En couverture: Mirella Bentivoglio, *La scrittura*, pierre et bois peint, 1984.

Catalogage avant publication de Bibliothèque et Archives Canada
Warren, Louise
Bleu de Delft: archives de solitude
Éd. originale: Montréal: Éditions Trait d'union, 2001.
Publ. à l'origine dans la coll.: Collection Spirale.
Comprend des réf. bibliogr.
ISBN 13: 978-2-89295-218-6
ISBN 10: 2-89295-218-2

1. Création littéraire. I. Titre.

PS8595.A782B43 2006 C844'.54 C2006-940743-6
PS9595.A782B43 2006

DISTRIBUTEURS EXCLUSIFS:

• Pour le Québec, le Canada
et les États-Unis:
LES MESSAGERIES ADP*
955, rue Amherst
Montréal, Québec H2L 3K4
Tél.: (514) 523-1182
Téléc.: (450) 674-6237
* Filiale de Sogides ltée

• Pour la Belgique et la France:
Librairie du Québec / DNM
30, rue Gay-Lussac, 75005 Paris
Tél.: 01 43 54 49 02
Téléc.: 01 43 54 39 15
Courriel: direction@librairieduquebec.fr
Site Internet: www.librairieduquebec.fr

• Pour la Suisse:
TRANSAT SA
C. P. 3625, 1211 Genève 3
Tél.: 022 342 77 40
Téléc.: 022 343 46 46
Courriel: transat-diff@slatkine.com

Pour en savoir davantage sur nos publications,
visitez notre site: **www.edtypo.com**
Autres sites à visiter: www.edhomme.com • www.edjour.com
www.edvlb.com • www.edhexagone.com • www.edutilis.com

Édition originale: *Bleu de Delft. Archives de solitude*,
Montréal, Trait d'union, 2001.

Dépôt légal: 3e trimestre 2006
Bibliothèque et Archives nationales du Québec, 2006
Bibliothèque nationale du Canada

© 2006 Éditions TYPO et Louise Warren
Tous droits réservés pour tous pays
ISBN 10: 2-89295-218-2
ISBN 13: 978-2-89295-218-6

Mon frère sculpteur et céramiste conduit le feu et la forme qui surgit du vide. Il a toujours su faire apparaître. Toute mon enfance et ma jeunesse, je l'ai regardé, penché sur des maquettes, des costumes, des affiches, des masques et autant de matière à célébrer, l'acrylique, le bois, le fusain, la glaise, le papier, le carton ondulé. À travers cela, les livres, les poèmes, les versions latines et grecques. Avant moi, mon frère avait lu Stevenson, Dickens, Kipling, Rimbaud, Ducharme et Brecht. Cet attachement profond que je lui porte est indissociable de celui qui me lie à la création, que j'ai vue s'élever dans la lumière des portes ouvertes du hangar, puis dans sa chambre et au grenier. Cette chambre sous les combles qu'il me laissa, jeune fille, avec, dessinée sur le mur, la lettre A.

À Raymond, mon frère.

Abricot

L'avancée fut progressive et certaine. Je me suis sentie devenir transparente. Une grande faiblesse m'a envahie, puis soulevée, comme si, plus forte que moi, elle avait décidé de m'emporter loin du compotier d'abricots, loin de tout appui de clarté. J'ai regardé le plus près possible les objets autour de moi, les lèvres fermées, muettes, comme si un drap avait été remonté par-dessus ma bouche. Anis étoilé, abat-jour, vivoir, hanche. Je commence un livre. Azulejos. Juillet, novembre, mars. Lanterne, plis, marais, jusqu'à ce que les phrases apparaissent comme des archipels d'argile, de neige, d'ardoise ou de joie et bougent comme les meubles à l'étage. Jusqu'à ce que le drap glisse et me montre la statue. Après, seulement après, j'ai commencé à l'interroger. La vitre s'est couverte de buée et d'objets flottants. Voilà pourquoi les premières pages toutes trempées séchaient sur un très vieux tapis d'Orient semblable à un cadastre dont chaque ligne, chaque trait menait à des oiseaux géométriques. Leurs pattes biscornues apparaissaient à travers chacune des feuilles comme si elles avaient été piquées par des insectes. Ainsi je regarde à présent ce lac ancien sorti des nuages et voué aux archives.

Absence

En faisant disparaître un objet, ou en s'effaçant continuellement, choisit-on de produire un monde invisible, immatériel, à l'image de la pensée vers laquelle on se tourne sans cesse ou, à travers ces absences, cherche-t-on à mimer la mort, à la signifier ?

Abstraction

Existe-t-il une écriture abstraite ? Une poésie ou un poème de l'abstraction ? À quoi renvoie le mot *abstrait* dans un poème ? À une image, à un concept, à une toile ? Il m'arrive de voir les mots comme des cartes de tarot. Derrière l'image, se profilent des questions et des affirmations, parfois une présence s'en échappe, parfois de la lumière ou du vent, parfois on ne fait que s'asseoir et regarder. Ainsi, je ne crois pas qu'on puisse faire un poème totalement abstrait, ce serait alors se couper du langage.

*

Mais j'aimerais qu'on oublie les mots, qu'on fasse abstraction des poèmes, qu'on imagine simplement un trait de lumière ou la sensation d'un vent léger s'enroulant, coulant le long du corps, parcourant notre être de douceur, d'une égale présence de l'air, comme un flottement continu et limpide à l'intérieur de soi.

*

Plus mon temps pour écrire augmente, plus je sens que je m'abstrais. Cette disparition, il y a longtemps que je l'ai vue venir. Déjà elle figurait dans mes photos alors que je prenais des clichés de chaises vides, de chaises seules.

Agenouillement

Il existe des instants où écrire ressemble à un agenouillement. La tête fléchie entraîne le reste du corps et, dans ce repliement de ferveur, la vue se courbe vers un point clair : le vide, l'absence, rien.

Âme

> On vit voler son âme à travers les lauriers.
>
> Malbrough s'en va-t-en guerre

Enfant, j'ai cru qu'une âme était un flocon de transparence qui disparaissait dans les arbres. À présent, j'imagine de la matière tout autour.

Amoureuse

Longtemps, je me suis demandé comment il se fait que j'aime tant marcher dans les bois, que j'aime tant l'eau, que j'aime tant rêver, contempler ou écrire de la poésie. A. m'a alors montré qu'il n'y avait aucun tracé dans ces lieux que je fréquente. Rien de fixe et sans cesse, sans cesse des sentiers à ouvrir. Ainsi en sommes-nous venus à parler de *Bleu de Delft*. Bientôt, je le sentais, ce livre serait terminé. J'ai évoqué mes craintes, mais surtout ma pudeur dans ces avancées vers le sacré où l'écriture seule m'a menée. Ma timidité aussi à nommer mes enfants ou mon frère. La même retenue à parler de l'ami qu'à évoquer des livres et des auteurs que j'ai rencontrés. C'est-à-dire, en les nommant, ouvrir mon cœur pour les remercier.

Alors que je questionnais ces avancées autobiographiques, ainsi que la construction de mon livre, nous avons parlé de Montaigne, de ses essais libres et de leur étonnante architecture formelle. Au moment où j'écris ces lignes, j'ai déjà entamé le premier tome de ces essais, mais en suivant ce que A. souligne depuis tant d'années à la mine de plomb. Une fois de plus, dans le livre de l'autre, j'entre dans un atelier et regarde les esquisses partout sur les murs comme si, à chaque fois, se répétait la fascinante entrée dans la grotte. Dans les tracés pâles, ces cercles, ces surlignures, ces lignes brisées dans la marge, derrière ces étoiles d'encre ou de plomb se cache aussi ce que nous écrivons. À cause de ces pâleurs ou de ces éclats, par toutes ces secousses sismiques contenues dans la page, les livres nous promettent d'être si précieux et deviennent si beaux.

Je n'ai rien à déclarer sur les murs, je n'ai rien d'autre à déclarer que ce livre de Montaigne dans la grande poche de mon manteau. Je comprends encore vaguement la nécessité de tout cela, mais en parlant de *Bleu de Delft*, j'évoque une expérience humaine très forte, car elle puise dans la solitude et se fonde sur l'amour. Ce même amour me porte à croire en la poésie qui accompagne ma vie. Chaque livre renouvelle mon engagement dans la création dont je suis amoureuse. Je crois qu'un poème peut rassembler et nous permettre de nous sentir plus forts, plus près de ce que nous avons de plus seul et qui nous atteint tous.

De la même manière, il est utile de regarder les mains du nouveau-né bouger, la manière qu'ont les branches d'atteindre la lumière ou, comme dans un tableau, la poussée des nuages avant l'orage. Toutes ces forces nous appartiennent et font de nous à certaines heures des êtres sublimes, rêveurs et libres, des poètes.

Apparition

Ma bouche garde en elle l'obscurité. Elle la retient et l'empêche de se disperser. De libres apparitions surgissent de cette chambre lente. Le châle qui me couvre m'emporte dans une nuit infinie. Y a-t-il d'autres moyens de lire en paix au fond du lac, dans un salon inventé par Rimbaud ? Y a-t-il d'autres moyens de ressusciter les morts, de les raviver de transparence et de clarté ? D'autres secouent leur peine au-dessus des glaciers et s'accrochent aux parois. Il n'y a pas une seule manière de se pencher vers soi pour atteindre l'autre qui veille et qui sait.

Après-midi

En bas les draps de neige et nos cheveux de cristal. Le traîneau rouge nous attend. Je le vois encore. À présent, il monte la côte tandis que la neige descend.

Aquarelle

C'est là sans appui que je me repose.
Saint-Denys Garneau

Le mouvement fluide de l'écriture se traduit souvent par le liquide de l'encre de Chine et, quand elle atteint la transparence, il n'est pas rare de voir le mot *aquarelle* apparaître.

*

Je dis *aquarelle* et je pense tout de suite à Saint-Denys Garneau. Dans Garneau, il y a le souvenir de l'eau. De l'aquarelle à la noyade, je ne peux dissocier ces deux images à présent, ces deux extrêmes.

*

Dans Garneau flottent ma grand-mère Marie-Laure et mon arrière-grand-mère Honorine, toutes deux photographiées en train de lire, loin derrière la maison ancestrale, sur les côtes verdoyantes de Neuville. Endroit rêvé pour lire en paix sous de grands arbres, en gardant du monde le son de la rivière Rouge entre les pages de la bible. Ce son clair et heureux, aussi précieux qu'un trousseau de clefs.

Mon père y a aussi amené et photographié ma mère, allongée dans une robe d'été, élégante fiancée dans les herbes hautes, étendue sur un plaid, sur lequel un livre fermé prolonge sa main.

*

Je reviens de cette apparence d'évasion avec en tête *La liseuse* (huile sur toile, vers 1935) de Saint-Denys Garneau. Cette femme assise seule, sans appui, dans le paysage, vêtue de sa robe comme d'une page blanche, porte le livre ouvert sur ses genoux tandis que sa poitrine s'incline vers l'écriture. De la page blanche au livre, de la nécessaire solitude à cette place au centre silencieux, c'est de la création elle-même que Saint-Denys Garneau fait le portrait.

Arbres

Là où j'habite, il y a plus d'arbres que de maisons et de personnes réunies. Juste avant que je déménage, un ami avait pensé à moi en lisant *Je suis ce que je vois*, ces notes sur la peinture et le dessin qu'Alexandre Hollan a colligées de 1979 à 1996. Comme si Hollan préparait, à mon insu, mon regard à ce que j'allais voir en permanence : le ciel, les arbres, l'eau, la montagne et la courbe de la petite route qui file devant notre maison. Ce paysage, je l'ai absorbé des étés durant. À présent, il me continue. Quand, après la période des vacances, je revenais à la ville, je portais ce paysage comme un dessin plié dans ma poche. J'écrivais des poèmes qui gardaient la trace des cèdres, du sous-bois. En arrivant ici, je n'avais en somme qu'à déplier cette feuille et à courir à chaque fenêtre pour voir les arbres depuis l'intérieur de la maison.

*

En écrivant ces lignes, en écrivant le mot *arbre*, il ne m'est pas facile de me défaire des gestes de Hollan, de son trait aussi bien que de sa pensée toute repliée sur les sensations, les perceptions, comme pour mieux entendre ce qu'il voit. Alexandre Hollan : là devant moi, l'espace est marqué d'un trait noir horizontal fulgurant, la branche du grand érable rouge s'invente à chaque heure du jour d'un de vos dessins, d'une de vos réflexions.

*

Il écrit et je souligne : « *Les arbres ont de la lenteur à donner.* » Je crois que plus on regarde les choses de l'intérieur, plus elles apparaissent lentes ou au ralenti. Même un visage peut créer une impression de lenteur. C'est dire combien cela demande de temps au regard pour parvenir à cette intériorité.

*

Je continue de le lire, je continue le trait.

*

Si je concentre ma pensée près des arbres, cela restreint le chaos. Les regarder me rapproche du trait, de l'élan ou du balancement de la lumière. Ils s'emplissent de gestes, d'images, d'impressions rapides comme si les arbres que nous regardons avec attention, et au-delà de cette attention, devenaient les miroirs de nos consciences.

*

Regarder un arbre, c'est se laisser guider vers l'intérieur, accueillir l'autre respiration, celle de l'écriture, de l'oubli. De même, le sang circule dans nos veines ; de même, les traits, les lignes, les taches dans un arbre entrent toujours en mouvement et croisent la pensée.

*

La majeure partie du temps de création se vit dans le silence, l'invisible, l'immatériel. Une grande partie de cette errance a lieu dans les profondeurs d'une vie intérieure à se laisser perpétuellement toucher d'impressions.

Voilà pourquoi j'ai besoin de planter des arbres et de les voir grandir.

*

Les arbres font plus qu'exprimer des intensités, ils en sont des formes pures. Ils en contiennent les lignes de force, la netteté, les tensions, les creux, les masses, les ténèbres. Dans le jour, des vagues incessantes de lumière les habitent ou, vues de près, des taches vives comme des sursauts de présence.

*

Il reste des arbres quelques cellules vivantes qui poussent dans les livres.

Je sens des voix proches de moi. Je reçois la matière qui les creuse, celle de l'oubli, du brouillard, de la rencontre ou de la joie, à la manière d'un lied où la voix peut être chantée par un homme ou une femme. Je pense au lied tel que décrit par Roland Barthes : « Les figures ne sont pas des personnages, mais de petits tableaux, dont chacun est fait, tour à tour d'un souvenir, d'un paysage, d'une marche, d'une humeur, de n'importe quoi qui soit le départ d'une blessure, d'une nostalgie, d'un bonheur. » Il s'agit avant tout d'une présence humaine.

J'imagine que nous serions au seuil du lied. Une présence qui ne chante pas encore, qui sent cependant le souffle s'élargir, mais qui cherche plutôt à descendre qu'à monter chanter. Il ne s'agit pas de retenue, mais de toucher une ligne mélodique à la frontière, une ligne au cœur de l'affectivité. Une absence pure de soi fondue à travers ces voix dépliées, une errance qui n'a probablement pas d'autre but que d'être dessaisie. Il s'agit toujours pour moi d'approfondir l'expérience de la poésie et ces voix venues de *La lumière, l'arbre, le trait* me permettent peut-être d'entrer dans ce passage qui conduit la voix dans cet arrière-monde qui est celui de l'acte créateur. Un arrière-monde qui ne serait pas encore défait de sa lenteur et de son feu aussi bien que des bruits dans le mur. Chaque chose, chaque voix devient une apparition, comme si elle émergeait de la nuit ou d'un sommeil léger. Ces formes respirées de l'intérieur, dessinées avec le souffle comme les enfants tracent d'invisibles mouvements dans les vitres. Dessiner avec les gouttes de pluie dans la fenêtre représente un de mes plus lointains souvenirs, ma première vision d'être : je suis debout à la fenêtre et je joue avec ces têtes d'épingle de verre mouillé.

Cet arrière-monde, je ne l'imagine pas fixe, figé, il ne s'agit pas d'un décor. Je pense davantage à un fond qui avance comme lorsqu'on peint une toile et que la couleur, la peinture, se transforme sur son objet, ici avec les voix, la densité des matières. Saisir les intensités du monde et en rappeler la clarté fugitive, voilà bien une traversée de clairs-obscurs. Et, même si le rythme emportait ces voix, je les entends quand même dans un paysage non détaché de cette lenteur. Comme si je voyais encore flotter les poires du dernier vers de *Suite pour une robe* au ralenti. Me voilà donc sur le seuil, prête à écouter chacune de ces voix et à en rapporter les lambeaux de brume, la tessiture des chuchotements, les flaques de lumière et les ombres chaudes. Déjà, je vois la chevelure de pierre, les paillettes de neige, l'insouciance des arbres, le dos lumineux des poissons, je sens la bienveillante solitude de cet arrière-monde qui est le mien. J'entends ma voix aller et venir, couvrir ma poitrine de poèmes, de déchirures, d'incertitudes et de désir.

Après, quand tout sera fini, il se pourrait bien que certaines de ces voix se mettent à chanter, que d'autres continuent à se parler seules ou tracent des signes sur les murs sans autre but précis que la consolation.

Atelier

La fenêtre au-dessus de la table m'est précieuse. Je m'adresse à elle quand je pose mes questions, car en se taisant elle me montre la pointe des pins, le lac et le livre oublié dans l'herbe.

*

Nombre de poètes situent leur espace dans les ateliers d'artistes. Est-ce pour reconstruire une vie affectée par le deuil ? Est-ce pour nous rappeler qu'un poème est une construction ? Ou simplement pour nous rapprocher du travail de l'artisan et mettre en lumière la dimension d'humilité de la poésie ? J'écris *humilité* en pensant à tout ce que ce mot contient de pauvreté, de silence et de retrait. Le retrait comme premier atelier.

*

Je me sens toujours dans l'atelier. Je suis continuellement travaillée.

Bleu de Delft

On entre dans le mouvement des rivières à écrire des poèmes, une circulation ininterrompue que l'on sent bouger à la lecture d'un recueil. Il arrive que la main se saisisse du courant, qu'elle glisse au fond du lit et qu'elle en ramène des bagues, des larmes de jeune fille et d'étranges éclats de faïence qui, en menaçant le cœur, le révèlent. Comme s'il fallait le tracé des rivières pour que s'ouvre le regard, pour que le souvenir glisse et renoue avec le bleu de Delft.

Cendre

Je sens les morts dans le froid des violettes
Sophia de Mello Breyner

Subitement, j'ai vu les violettes pétrifiées, toutes grises. J'ai détourné la tête loin de la page, vers la porte, mais déjà elles disparaissaient sous la cendre tandis que, dehors, il faisait clair et que chaque chose ne semblait pas encore avoir assez vécu. Avec des gestes blancs, je me suis changée dans la lumière et j'ai couru vers le lac, vers cette voix et ce regard de verre. Un délicat bouquet de corsage piqué sur un manteau de drap lourd refaisait surface.

Cercle

Ce n'est qu'une figure de pressentiments. Une vue aérienne de l'absence. Le glissement continu de la pensée. Va à la fenêtre et ramène-moi le lac. Ramène-moi. Avec mes vieux souliers et mes yeux. Pure forme de survie et d'engagement, le cercle. Et, au centre de l'ardoise, une case de craie blanche montrant le ciel sur la table de nuit.

Chaise

Le motif de la chaise apparaît dans le parcours de plusieurs artistes, souvent au début de leur démarche de création. Je pense aux chaises de Monique Mongeau

(1981) – puis à *La chaise de Georgia* (1983) –, aux *Transats* de Richard-Max Tremblay (1982), puis à cette installation de Sylvie Marceau réalisée dans les années 1990, une table sur laquelle sont retournées cinq chaises, à l'exception d'un tabouret d'enfant. Une scène de cuisine. On pense d'enfance. Contrairement au banc, au canapé ou à la banquette, la chaise reçoit une seule personne. Objet usuel, la chaise, plus complexe qu'elle n'en a l'air, se charge de toute une symbolique du corps et de la solitude. Ce double de nous-même construit dans l'espace peut s'avérer un tyran. Car il est long pour un artiste de se défaire de la chaise qu'il a toujours occupée et de prendre sa propre place en s'y sentant à l'aise. Ce malaise s'exprime dans nombre de vers de Saint-Denys Garneau. Et je retrouve cette citation de Suzanne Dubuc, artiste peintre, dont le travail relance ma réflexion : « Il s'agit de ne pas être confondue avec qui que ce soit d'autre, d'être reconnue comme étant soi-même. » En regardant les mouvements de défiguration, l'expression de tout ce travail d'empreinte que Suzanne Dubuc a créé dans cette série de chaises qui occupent ses œuvres de la toute première période, soit 1987-1989, j'ai été saisie par la justesse de ce travail qui dit ce que la chaise reçoit de nous.

Constamment à se dissoudre de leurs tensions, de leur matière première, ces torsions, ces dislocations de la chaise toucheront l'ensemble des constructions architecturales qui suivront. Même étirés, puis tirés, même entraînés par des forces et par la couleur, fluides ou lourds, en devenir d'abstraction, il reste de ces objets puissants encore quelque chose à palper du visible. Là où je vois le citron scellé dans son armure et la chaise se tordre. Les œuvres de Suzanne Dubuc, comme si elles s'étaient toutes détournées de la langue pour ne dire que l'essentiel, ne portent pas de titre, qu'une ou deux lettres. *H* pour huile. *A* pour acrylique. *Pa* pour pastel. *En* pour encre, et une série de chiffres, mois et année de la production, puis la description du médium utilisé. Ce procédé permet une lecture non orientée de l'œuvre (à l'exception des chaises et de quelques autres toiles qui ne sont pas entièrement détachées de la figuration) et une approche beaucoup plus directe et élargie de l'abstraction. Il ne s'agit pas d'œuvres sans titre, puisqu'elles sont identifiées en fonction de leur matière. On nous invite donc à faire avant tout l'expérience de cette matière, de cette lumière qui enveloppe ou fragmente, dévore ou éclate, mais prend possession du monde en commençant par la chaise.

CHAMBRE

Je ne crois pas qu'il y ait moins de recueillement, moins de concentration à ma solitude d'aujourd'hui. Je m'y suis toujours sentie libre comme nulle part ailleurs. La solitude est une chambre. Je pense que ce retrait, cette expression de soi dans la solitude se manifeste très tôt et ce besoin peut être un signe d'affirmation de soi dans l'imaginaire, une voie vers l'art. Enfant, j'aurais aimé qu'on me dise va jouer dans ta chambre, moi qui dormais sur le palier, à l'étage. Avant de posséder ma première chambre, puis des livres et des coussins au grenier, je découvris le fond d'un coffre qui gardait la juste tonalité de silence que je cherchais. Un silence de fourrure, à la condition de ne rien y déplacer. L'intérieur de ce coffre avait été peint rouge pompier, mais, une fois le couvercle rabattu sur ma tête, je plongeais dans une voûte de nuit noire, je changeais de voix, je changeais de nom. Qui passe sa tête à l'intérieur de ce coffre risque cette solitude.

Chapelière

Un souvenir très soyeux déplié puis replié, le velours flotte, aérien, et se mêle aux cheveux, à la toilette de la fiancée, à son rang de perles. Un pur silence descend sur le front et les oreilles et, quand il s'arrête, il est passé minuit.

Chasse-galerie

Je peux écouter Claude Dubois chanter *Les petits cailloux* et *Si Dieu existe* dans la répétition du quotidien et sa présence, sa clarté, son timbre s'ajoutent aux pâles rayons de l'hiver et baignent les lieux de chaleur, de réconfort, de merveilleux. Claude Dubois, que j'écoutais adolescente, a su garder à travers les années ce lien intact avec ce qu'il est. Il me permet ainsi de m'approcher de ce que je fus.

Quand j'étais toute jeune, la chanson *Rue Sanguinet* chantait vers moi, peut-être parce que je pouvais situer cette rue juste à côté du parc des Habitations Jeanne-Mance, où j'avais l'habitude de jouer avec mes petites amies de la rue Saint-Urbain. À la même époque, je me laissais emporter par *Le cheval blanc* de Claude Léveillée et je rêvais de ces désirs d'immensité. La chanson m'enlevait, me ravissait comme l'avaient fait les contes. Par elle, je rêvais mes premiers rendez-vous. Par elle, j'apprivoisais la douleur. Je me sensibilisais à son rythme, à ses échappées de bonheur. La chanson a été si présente dans ma vie, déjà à la tête de lit de mon enfance puisque ma sœur, avec qui je partageais un pan de mur et la porte, écoutait Brel, Bécaud, Léveillée à répétition. Quand je traversai le mur, j'en fis autant avec Barbara, Ferré et tant d'autres. La chanson me donnait le goût d'écrire, de vivre l'amour, elle portait mon cœur au plus près des autres, elle me donnait un élan et, même quand je ne chantais pas, à l'intérieur de moi vivait un être chantant.

En écoutant Claude Dubois chanter sa magnifique *Chasse-galerie*, j'ai réalisé à quel point cet être chantant habitait toujours en moi. Entre les casseroles et les ustensiles, en dépliant la nappe, je l'ai entendu murmurer, me redonner une ardeur de vivre. Que ce soit en écoutant une très belle chanson ou en chantant, je sens qu'il se crée de l'espace à l'intérieur de moi. Ces chansons, qui nous redressent de nos fatigues, de nos soucis ou de nos moments de vide et nous invitent à nous joindre au merveilleux d'une chasse-galerie comme d'une chasse gardée sur le monde, sur l'imaginaire, créent des mouvements d'éveil et libèrent un peu de grâce en nous.

Cette aisance, Claude Dubois la possède. Il peut chanter assis, à peine bouger sa main et nous conduire là, au cœur du texte, au pas intérieur. À peine le chanter, le dire, défait de son chant, défait de sa théâtralité, porté dans le grain de sa voix, porté en dessous d'elle, dans ce qu'elle a de plus dépouillé. La chanson possède ce pouvoir de nous traverser d'un frisson, d'une vive énergie. Elle ouvre un espace au souffle qui alors se déplace comme un objet magnétique que l'on déposerait sur son cœur pour qu'il batte dans ce que le chant a défait et que le cœur reprend.

CHÊNE

L'Oreille est le dernier Visage.
EMILY DICKINSON

J'ai été dans une chambre avec la mort. Je l'ai accompagnée. Pour que le ciel s'ouvre, je chantais les dernières douceurs. Je disais des noms enfermés dans le ciel, certains depuis longtemps. Je les disais près de son oreille sans jamais quitter sa main. Mon regard se déplaçait de son visage à la fenêtre, vers le chêne. Sans cesse, ses feuilles bougeaient, ondulaient, se pliaient, se reflétaient, miroitaient et, vers midi, la forme entière de l'arbre se gonflait de lumière. Exactement au seuil de ce passage, cette entrée lumineuse de l'été, cette chaleur déposée sur la vitre, celle que j'appelais grand-maman de mon cœur s'est lentement éteinte, le long d'un ruisseau que dans le ciel j'avais dessiné.

*

À la fin, ayant épuisé toutes les formes de son corps, elle ressemblait à un oiseau.

Ciel

La poésie perçoit à l'œil nu le tissu du monde, l'envers du vide où flottent des particules sonores, de vieux chagrins, des poussières de personne, des mouvements de mains, des haussements d'épaules, des portes invisibles et quantité de plantes qui n'existent plus. Ce que nous ne voyons pas, ou ne voyons plus, ne cesse de s'emplir d'informations. Là poussait le millet, là on enfouissait les terres cuites, les poissons fumés, au même endroit le ciel, qui fait semblant d'être bleu et d'être le ciel, voilà tout le vide de mon écharpe envolée.

Les poètes cueillent une infime partie de cette suite immatérielle. Certains parmi eux éprouvent le besoin de traduire, de chiffrer, d'encercler toute cette matière éparse. D'autres, comme Emily Dickinson, laissent l'étrange à l'étrange et ne brisent ni l'hiver, ni les gants, ni l'absence.

Cimetière

> La tombe m'aide à découvrir ce que je suis.
>
> Une Japonaise se recueillant dans un cimetière

Jamais nous ne nous détournons des disparus.

Sans les morts, que serions-nous ? Comment arriverions-nous à nous-mêmes ? Nous qu'ils convoquent, nous dans notre matière phosphorescente, nous dans notre égarement ?

Clarté

Tout cela n'est que rythme, amour, matière, origine. Une suite d'instants à l'écart. La merveilleuse présence du temps qui passe. Il n'y a pas de but ultime. Il n'y a pas de Château. Seulement un lieu vide. Seulement le trait.

Commencement

L'été, alors qu'enfant j'allais à la campagne, j'aimais franchir ce lieu interdit que nous appelions tantôt le château, tantôt les ruines, mais jamais la maison brûlée. Une vaste demeure qui, construite en retrait de notre avenue, semblait reculer tout au fond du paysage. Le sol et les murs de plusieurs pièces de cette maison avaient été recouverts de mosaïques turquoise, vertes ou bleues, ainsi que de grands miroirs, puisque nous trouvions partout de ces éclats de feu que nous ne cessions de retourner au soleil. Tout m'apparaissait possible pour cette maison qui laissait entrer les mauvaises herbes, les chats et chiens errants, le ciel et les enfants. Elle correspondait à la maison de mes rêves. Une maison où l'intérieur et l'extérieur habitent ensemble, où les framboises poussent dans le salon. Un lieu plein d'étrangeté et où le paysage se berce doucement dans les tiroirs, où les escaliers ne mènent nulle part ailleurs que devant soi.

Les années passaient et, dans ce fouillis de mauvaises herbes, on ne voyait plus rien briller que les guêpes. Il n'y eut bientôt ni entrée ni escalier, les ruines furent rasées pour faire place à une série de maisons basses, chacune collée à un jardinet de banlieue. J'ai longtemps établi un lien entre ces ruines, les maisons en démolition du centre-ville, mon appartement brûlé de la rue Hutchison, et la poésie. Un fil sacré qui déterminerait un périmètre dans l'imaginaire. La poésie a cette force de traversée, celle de commencer par les ruines.

Constellation

Le thé des bois dans les murs, cette chaleur verte jusque dans l'encre, les colères dans les poches, tout se mélange aux organes et au reste, petites peaux mortes qui tombent, étoiles sèches, ciseaux rouillés, on voudrait tout envelopper dans un papier de boucher, ne plus se rappeler, ne plus entendre tousser le tombeau.

Mais en quoi serais-je capable de paix, de consolation, de verticalité, si je n'avais pas été d'abord une pierre, un clou, une dent, un cri ?

Couleur

Que connaît le poète des couleurs ? N'est-ce pas ce qui fait le plus réfléchir, s'abandonner à la réflexion ? La couleur modèle la forme de son objet. La couleur obéit, fait apparaître le poème.

Déchirure

> Nous sommes dans la déchirure. On peut vivre aussi dans la déchirure.
>
> Henry Bauchau

Alors que notre vie est faite d'efforts de réconciliation, de pardon, la littérature, elle, permet non seulement la déchirure, mais elle la reconnaît.

*

La fragmentation agit avec violence quand la phrase se détache et ressemble à un lambeau, une déchirure du texte. Il arrive que des phrases ou des vers imitent les tracés rouges que j'ai vus sur la peau des cancéreux et qui marquent le parcours à suivre de la radiothérapie. Devant de telles phrases, je pense aux amis disparus.

Désir

À partir du moment où ma voix se pose sur les objets qu'elle touche, mon souffle devient plus intime. Cette intériorité m'est nécessaire pour désirer retrouver la page que je quitte. Sans désir, il n'y a pas d'écriture. Le désir possède un fabuleux noyau d'énergie qui agit comme du vif-argent.

Dessaisissement

La poésie serait la forme la plus libre de la mystique. Le dessaisissement son proche voisin.

Dessin

Peut-être est-ce à cause de l'enfance, de la simplicité des matériaux, mine de plomb, crayons de bois, fusain, charbon, morceau de sucre, craie, et des doigts dans la neige, la fenêtre, le miroir, qui s'associent à l'intime, au secret des lettres ou des hiéroglyphes, que l'on rapproche le dessin du poème, de son instant.

*

Je pense que le dessin, parce qu'il donne la forme – il apparaît dès lors comme une brèche –, interpelle le peintre, le sculpteur, le poète, l'écrivain, pour qu'il y produise l'œuvre.

Doute

Tout ce que j'affirme vient pourtant du doute. Comme si, à force de douter, une cristallisation, une pétrification s'opérait et aplanissait le doute. Mais je n'oublie pas de quoi s'est formé le noyau, car les couches de doute peuvent ouvrir un précipice. Cela ne doit pas atteindre ma vie. L'écriture a l'habitude de faire front. Je sais trop bien à quel moment le doute gagne du terrain, je le sais, puisque vivre devient tellement difficile.

Effacement

Je m'incline devant les êtres qui durant toute leur vie ont serré le silence sur eux-mêmes comme un livre lourd et important.

Émotions

Les émotions remuent le langage. Contrairement à ce que l'on pense, la poésie n'exprime pas les émotions. Ce sont les émotions qui créent le rythme, le mouvement du poème. Seules les émotions arrivent à disloquer, déminer, déjouer la langue courante. Cette destruction du langage permet de fabriquer sa propre langue. Ces émotions correspondent à l'immersion nécessaire pour apprendre, découvrir une langue étrangère.

Je favorise les émotions plutôt que les idées. À l'image de la foudre, de l'éclair, elles sont mes flèches et il suffit de suivre leur parcours pour entrer dans le poème. Cette rapidité annule ou fait un premier tri, expose les mots. Cette fulgurance, cet instant a quelque chose de très excitant, qui s'appelle liberté. Quand l'écriture coule, mon corps me donne l'impression d'être fluide, léger, heureux, et je crois qu'il l'est.

J'ai cette autre très lointaine image de moi, assise au salon, dans un fauteuil très bas et très mou qui fait face à la bibliothèque vitrée. Une image floue de ma mère qui ouvre avec aisance les portes de ce lieu toujours fermé et installe sur mes genoux un des tomes de l'encyclopédie de la jeunesse que je croyais vissés à la tablette. Des contes, des cartes géographiques, des formules chimiques ou mathématiques, des planches d'anatomie, de botanique, des pages de chiffres à côté de personnages célèbres, d'illustrations et de gravures anciennes. J'éprouve le plaisir de la diversité. Il y a quelque chose d'à la fois excitant et réconfortant à l'idée de trouver de tout. Je me sens comme mon père qui entre dans une quincaillerie.

Je ne me souviens pas de m'être laissé rebuter par les sujets qui ne s'adressaient pas à moi ou que je ne comprenais pas. Je regardais beaucoup les images, comme si la compréhension du monde devait nécessairement un jour passer par l'information ou l'obscurité que je tirais de leurs légendes. Ainsi, je garde de mes heures passées dans l'encyclopédie de la jeunesse un vaste collage où, sur les cartes du monde, les chiffres et les mots se superposent.

Le fait de n'avoir aucun mal à entrecroiser les diverses voix et approches d'une œuvre dans *Interroger l'intensité*, ou encore ici, à intégrer divers types de textes, que ce soit un poème, une citation, une lecture, une interrogation, une réflexion, découle probablement de ces heures larges à lire les pages de l'encyclopédie. Cette diversité rappelle inévitablement celle de l'atelier.

Enfance

J'ai trois ans et on emporte ma joue.

Enfouissement

La forêt, le sous-bois, les plages à marée basse, les ruines, les maisons démolies, la grotte, le cimetière, la cave, le verger, l'atelier, aussi bien que l'œuvre d'art et l'écriture, ces lieux vers lesquels sans cesse je me tourne, partagent la même fonction, celle d'œuvrer à la transformation. Au même titre, ces lieux agissent sur nous et nous révèlent, nous poussent au bord, nous inventent, nous continuent et font de notre être un vaste site de galeries souterraines.

Énigme

On accepte mal l'énigme. On cherche toujours à comprendre, à analyser, à paraphraser ce que l'auteur a voulu dire. Pourtant, devant un poème, il est nécessaire de développer une attitude de réceptivité pour absorber le côté énigmatique, la face cachée du poème. Par ce que l'on ne saisit pas et qui nous déstabilise, par ce mystère, a lieu l'expérience de poésie qui nous atteint.

Trouver beau un vers pour ses mots, son rythme, sa brièveté, sa justesse, sa sonorité, sa sensualité ou son image devrait être une expérience esthétique valable, enrichissante et déjà suffisante. Ce que l'on ne saisit pas a autant de portée, sinon plus, que ce que notre intellect a reconnu. Cela nous met devant notre propre face voilée tout aussi bien qu'en face de nos limites et de nos résistances. En fait, j'adore lire et ne pas comprendre. J'aime me livrer à ce sentiment d'étrangeté qui est celui de reconnaître des mots, de connaître leur sens dans la langue parlée et, parce que la poésie les sert, de leur découvrir d'autres possibilités qui ont peu à voir avec le langage, mais bien avec l'expérience du noir, de la peur, du vertige, de la quiétude, de la lenteur aussi bien que de l'attente, du silence ou de l'ouverture à soi.

Oui, je peux éprouver tout cela en lisant un poème, peut-être justement parce que je n'ai pas d'abord cherché à le comprendre, mais que je me suis laissée aller à le recevoir, à l'accueillir. Cet accueil crée un espace en soi absolument merveilleux. Ces sensations d'allégement ou de lourdeur, d'exaltation ou d'évanouissement, ces frissons, ces sourires ou ces larmes, ces sensations purement physiques qui se jouent dans notre corps, comme ces mouvements involontaires, ces spasmes, ces tensions qui se relâchent dans nos jambes la nuit. Ainsi sommes-nous certains d'être de la matière.

Espace

Se peut-il que toutes les langues n'approchent pas l'espace de la même manière ? Lors d'une soirée de poésie, après avoir écouté une trentaine de poètes réciter dans leur langue, j'ai pensé que l'espagnol et le catalan, beaucoup plus ronds, plus toniques, produisent du volume. Par contre, l'arabe traverse l'espace sans jamais cesser de dérouler son souffle et ses volutes. La langue anglaise, elle, coule, enveloppe, comme si elle retenait des cascades de pénombre sur elle-même, alors que le russe et le slovène creusent l'espace, le fouillent, et que le danois le dévore. Quant à la langue française, elle semble se transformer continuellement, parfois elle déchire l'espace comme si le vide était de papier, parfois des voix glissent en elle à la recherche d'une main, vers le rideau, vers la sortie, élevant ainsi des murs et des appuis de liège.

ESQUISSE

Aller à la rencontre des œuvres, marcher, ouvrir et fermer des livres, écouter de la musique ou de belles voix à la radio, au téléphone, traverser autant de sensibilités, d'intensités, de perceptions, de contacts sensibles avec la nature, les arts ou les autres me permet de mettre en éveil ma propre sensibilité, pour entendre ma voix dans la page comme s'il lui fallait effectuer ces allées et venues pour venir à moi.

ÉTERNITÉ

Je dis à mon fils que prendre la main de sa grand-mère Cécile me manque. J'ajoute que cela fait un an qu'elle nous a quittés. Il me répond que pour lui cela fait une éternité. Je pense que, lorsque l'éternité nous atteint, la personne défunte elle-même en a été touchée.

Étreinte

Écrire, c'est prendre le monde dans mes bras et l'étreindre. Voilà pourquoi, quand je n'écris pas et que je regarde, que je ne fais que regarder, j'ai l'impression de laisser aller le monde.

Mais lorsque je le regarde vivre dans une distance que je crée, fluide, à partir des nuages et de ma solitude, alors criblée d'étincelles, une présence inouïe s'ouvre en moi.

Fable

Je reconduis les cerceaux et les paupières dans le même été, le même ciel. Il n'y a ni animaux ni bol de lait, seulement les fragments.

Fado

Pendant qu'il n'y a personne, je chante. Les bagues se retirent dans l'herbe. Quelle chaleur éveilles-tu dans mes bras, moi qui lis les lambeaux de tristesse dans les tasses refroidies ?

Fantôme

Il est fascinant de voir un objet disparaître à la fin d'un livre et réapparaître sous une tout autre forme. Ainsi le noir du chapeau éteint à la fin de *La déchirure* de

Henry Bauchau revient-il dans *Le régiment noir*, le titre qui suit.

Fenêtre

La fenêtre protège du désastre. Elle cadre le vide, repousse le trou noir, retient les ailes du corbeau. Le paysage s'allume et s'éteint, recommence. Poésie et fenêtre se lient intimement comme une promesse. L'insomnie me conduit à ces carrés noirs que le ciel découpe en parties égales d'attente, de fruits, d'esquisses, de vent près des doigts de la statue.

Feuilles de thé

Conservatrice invitée au Musée régional de Vaudreuil pour réaliser l'exposition *Léonise Valois, une rencontre*, lorsque j'ai posé sur le manteau de la cheminée, la table et le secrétaire certains objets ayant appartenu à la poète, d'autres d'époque, choisis dans la réserve du musée, j'avais vraiment l'impression d'écrire avec les objets. De tout le processus de mise en espace, cette expérience fut une des plus exaltantes. Lorsqu'à la toute dernière minute j'ai ajouté quelques feuilles de thé au fond de la tasse de porcelaine, j'ai éprouvé quelque chose de plus, comme si de toute évidence la rencontre avait eu lieu à cet instant précis. Après cinq ans de ma vie tournés vers la poète et son œuvre, l'accomplissement d'une longue recherche, l'écriture de sa biographie, puis la réalisation d'une exposition, il me semblait que, dans ce geste vif et spontané, je l'avais sans doute intériorisée.

Flou

Justesse du flou des photographies. L'incessante transformation des objets, leur rupture, leur étonnante cristallisation crée de la poésie.

Forêt

> Par ces Jours Fiévreux – les conduire à la Forêt
> Où des Eaux coulent fraîches autour des mousses –
> Et rien sinon l'ombre ne ravage la quiétude
> Il semble parfois que ce serait tout –
>
> Emily Dickinson

Après avoir lu les *Quatrains et autres poèmes brefs* d'Emily Dickinson, j'ai constaté qu'ils étaient tous restés sur le lit. À deux heures du matin, ils formaient une courtepointe comme on en voit encore chez les antiquaires de la Nouvelle-Angleterre, dépliées sur les lits de cuivre ou suspendues aux montants et barreaux de laiton.

J'ai tenté de remplacer le mot *courtepointe* par *drap*, *couvre-pieds*, *couverture*, *édredon*, mais seule la courtepointe convient pour parler d'un tissu épinglé, piqué, et qui laisse autant de traces de surpiqûres gardées par les tirets.

Ce tissu, aussi vaste qu'une mappemonde et dont les murs quittent la terre, l'Inde, l'Arctique et le Pérou pour habiter l'herbe, un miracle, un visage, derrière les portes, les étés, les regrets, m'enchante jusque dans mon sommeil, car, de toute évidence, je lis même quand je dors. Telle est la communion des vivants.

À présent conduite, je ferme les yeux pour entrer dans cette forêt où le pas franchit tantôt une pierre, la mousse, tantôt un tiret, parfois tout.

FORME

Avant d'écrire, je dois rencontrer la forme vide, la forme évidée de toute matière, je dois aller vers l'invisible, me détacher, me désapprendre.

Ainsi déstabilisée, je mets en route les émotions, peur, angoisse, inquiétude, vulnérabilité, un mur de tensions. Ce que je veux dire se trouve de l'autre côté, j'entends un léger bruissement, ce qui me manque doit nécessairement se loger dans ces sons inaudibles.

L'invisible, le sourd, le profond, la profondeur éclairée, voilà ce qui bouge derrière la montagne, ou entre les flammes, ce qu'il y a autour de l'air. Une densité m'échappe et, telle une présence soudaine et fulgurante, s'abat sur moi et me permet de me quitter, aspirée par la forme vide de ce que je suis. Lisse et intacte, la forme pure d'un trait par lequel je me laisse absorber. Après, rien ne sera plus pareil, rien ni personne.

FOUGÈRE

Entre mes mains et la fougère, la feuille se froisse, pleine de jour.

Frère

> Il ne faut pas juger les livres un par un. Je veux dire : il ne faut pas les voir comme des choses indépendantes. Un livre n'est jamais complet en lui-même ; si on veut le comprendre, il faut le mettre en rapport avec d'autres livres, non seulement avec les livres du même auteur, mais aussi avec des livres écrits par d'autres personnes. Ce que l'on croit être un livre n'est la plupart du temps qu'une partie d'un autre livre plus vaste auquel plusieurs auteurs ont collaboré sans le savoir.
>
> Jacques Poulin,
> *Volkswagen Blues*

> Il y a du Rembrandt dans Shakespeare et du Corrège en Michelet, et du Delacroix dans V. Hugo et puis il y a du Rembrandt dans l'Évangile et de l'Évangile dans Rembrandt, comme on veut, cela revient plus ou moins au même, pourvu qu'on entende la chose en bon entendeur, sans vouloir la détourner en mauvais sens [...]. L'amour des livres est aussi sacré que celui de Rembrandt, et même je pense que les deux se complètent.
>
> Vincent Van Gogh,
> *Lettres à son frère Théo*

J'ai, pendant plusieurs semaines, gardé ces deux citations sur mon babillard. En les laissant là, vis-à-vis d'un titre que déjà j'avais trouvé, « L'esprit de Van Gogh dans l'œuvre de Jacques Poulin », et qui révélait tout le sérieux d'une conférence que personne ne m'avait demandé de faire, une conférence imaginaire, je pensais bien qu'ainsi en réflexion dans l'atelier le texte finirait par s'écrire un jour. C'est exactement ce qui se passa et, comme *Bleu de Delft* s'adresse au frère et que par bonheur j'en ai deux, il allait de soi que je revienne à Poulin et à Van Gogh.

*

Bien que Jacques Poulin nous ait familiarisés avec des associations surprenantes du genre « Al Capone, Auguste Renoir et le prix Nobel », il peut paraître étonnant de joindre le nom de Van Gogh à celui de Poulin si nous ne retenons du peintre que son destin tragique ou ces foisonnements de couleurs fortes en opposition à un climat de douceur et une retenue minimaliste dans l'écriture du romancier. J'aurais pu associer Poulin au geste impressionniste et ne faire qu'un vague lien avec Van Gogh en raison du nom de Théo, le frère de Vincent, nom que Poulin donne au frère de plusieurs de ses narrateurs. C'est en relisant *Volkswagen Blues* que j'ai entendu appeler le nom de Van Gogh comme un écho lointain et toute la mélancolie du peintre remonter au cœur de ce long blues. Enfin, ces premières intuitions de lectrice furent encouragées à poursuivre par cette phrase extraite de *Volkswagen Blues* : « et peu à peu la silhouette de son frère grandissait et prenait place dans une galerie imaginaire où se trouvait une étrange collection de personnages, parmi lesquels on pouvait reconnaître Maurice Richard, Ernest Hemingway, Jim Clark, Louis Riel, Burt Lancaster, Kit Carson, La Vérendrye, Vincent Van Gogh, Davy Crockett... »

Il importe de me situer simplement comme une lectrice passionnée : ma lecture ne s'apparente pas à une étude, mais bien à une vision aussi personnelle, aussi impressionniste que celle laissée par les livres et les tableaux. À l'image de la correspondance de Van Gogh, l'œuvre de Poulin se présente comme une vaste bibliothèque. Si les livres agissent sur ses personnages ou lui permettent d'exprimer ou de renforcer l'expression de leurs idées, si Poulin par leur entremise partage ses chocs de lecture et sa passion des livres, retenons que ces personnages fréquentent également les musées, non seulement les musées spécialisés, d'histoire, d'anthropologie, etc., mais aussi les musées d'art, tel le Musée du Québec ou l'Art Institute de Chicago, et que les tableaux y sont aussi commentés ou regardés, ce que nous ne manquerons pas de faire avec un de ses personnages écrivains, Jack Waterman, dans *Volkswagen Blues*, un peu plus loin. Mais avant de rouler dans l'œuvre de Poulin, j'aimerais qu'on se rappelle ce que nous retenons de Vincent Van Gogh et, à partir de là, il sera beaucoup plus facile d'être réceptif à une éventuelle présence du peintre parmi nous.

*

On connaît de Van Gogh son vagabondage, ses errances, son goût pour la solitude, sa passion pour la lecture, les livres et les langues (il a été libraire, il a traduit des textes, il lisait Shakespeare), on connaît ses amours tourmentées, ses fiançailles rompues, son attirance pour les femmes démunies, abandonnées, on le sait parcourant les musées, on connaît son intérêt pour l'art japonais, on sait qu'il a un frère Théo dont il fut séparé un temps, mais à partir de leurs retrouvailles le lien sera emporté jusque dans la mort. On connaît la correspondance de

Vincent à Théo et, à travers elle, on apprend à mieux connaître l'homme et le peintre ainsi que l'œuvre qui devant nous apparaît, qui se construit au fil des lettres. On sait de Van Gogh qu'il dessine sans cesse, qu'il travaille sans cesse, qu'il écrit sans cesse, curieux de tout ce qu'il voit, infiniment touché par les petites gens, et qu'il va vers elles comme prédicateur même, mais sans succès. On sait qu'après cet échec la peinture s'impose d'elle-même et qu'il lui consacre toutes ses énergies. De la même façon, son frère Théo, marchand de tableaux, se consacre à Vincent. On connaît son attrait pour les promenades, les rues étroites, les ruelles, la fréquentation des cafés, des bistrots. On connaît ses bonheurs devant les couleurs, la lumière, les blés, les tournesols, les ciels étoilés. On connaît ses autoportraits et ses portraits, et déjà, dans votre tête, au simple nom de Van Gogh, vous avez vu les tableaux défiler, les ciels, les pommes de terre, les chapeaux, les arbres fruitiers, les jeunes femmes dans leur robe d'été, le facteur Roulin, et puis, tout au long de ces réminiscences, vous avez pensé à ses crises répétées, de mysticisme ou de visions hallucinées, à ses périodes d'enfermement à Saint-Rémy, à cette oreille coupée, puis vous avez vu la chambre de Vincent, cette chambre dans laquelle son cœur cesse de battre, cette balle au cœur qu'il se tire dans les blés, tombant comme dans sa peinture, et qui quelques heures plus tard l'emporte. Comme si cette balle voulait encore dévier, elle frappe de douleur Théo qui, lui, déjà malade, s'en trouve atteint de paralysie, après quoi, quelques mois plus tard, il meurt. On sait qu'ils reposent côte à côte à Auvers-sur-Oise et nous continuons de lire et relire ces lettres merveilleuses qui, elles, reposent en nous.

Ce dont nous nous souvenons de Van Gogh appartient en quelque sorte à une légende qui revêt un caractère mythique et, à ce titre, il s'inscrit dans l'œuvre de Poulin. Cette connaissance vient à notre insu. Voilà pourquoi il importe que nous nous rappelions ce que nous retenons de Van Gogh sans ouvrir un seul livre. Un écrivain, un romancier, peut-être encore plus qu'un poète, écrit d'abord avec son bagage culturel de livres, de tableaux, de films, de lectures, de conversations, de chansons, de souvenirs, de symboles, et il doit s'organiser pour détourner les clichés.

*

Bien que Jacques Poulin évoque régulièrement des noms de célébrités, le côté humble de ses personnages ou de son hétéronyme, Jack Waterman, l'écrivain, ou Jim, peu importe puisqu'ils appartiennent à la même encre, l'aurait certes dissuadé d'utiliser le personnage de Van Gogh qui représente une trop forte charge symbolique comme créateur et comme homme. Évoquant Van Gogh et Gauguin, l'écrivain et poète Kenneth White, dans un essai-fiction sur Van Gogh, parle de « quelque chose qui dépasse le pur phénomène artistique, une aura d'énergie, une force de vie, une férocité lumineuse ». Le Van Gogh de Poulin se dégage de cette enveloppe d'intensité, celle de tous les excès, et qui a été admirablement comprise par Antonin Artaud. Poulin garde avant tout la voix intérieure, celle qui cherche à s'apaiser dans l'écriture, celle que réfléchissent les lettres.

En choisissant Théo, Poulin fait le choix du frère, donc d'une relation plus proche, plus intime que le monument que représente Van Gogh. Pourtant, en sachant que ces frères furent inséparables, il mettra continuellement Van Gogh à contribution dans sa galerie imaginaire, et ce, jusque dans ses procédés de déplacement pour le tenir à distance. Il m'apparaît de plus en plus clairement que toute l'œuvre des Jack et Jim écrivains, ou écrivains publics, couvre le deuil, recouvre les cendres du frère disparu ou de tous les autres frères morts dans l'œuvre de Poulin, qu'ils tiennent lieu de personnages centraux, secondaires ou à peine évoqués, si on pense à l'image de ces deux autres frères, Frank et Jesse James, dans *Les grandes marées*, à ces frères morts dans les eaux glacées du fleuve dans *La tournée d'automne*. Le frère m'apparaît aussi important que l'autre en soi que nous portons.

*

Chacun de nous fabriquant son propre Van Gogh, vous commencez peut-être à repenser aux romans de Poulin, à des atmosphères, des images, des liens qui vous rappellent étrangement soit un tableau, soit un détail de la vie du peintre, et vous pouvez commencer à faire ce que les personnages de Poulin pratiquent et adorent faire, des recoupements. Cela commence tout doucement, c'est un arbre, un cerisier japonais dans la cour, une description de chambre ou des affaires de Théo, parmi lesquelles « un revolver, un vieux chapeau de Camargue », une carte postale signée « Ton frère Théo », une correspondance et, de façon plus vaste encore, les correspondances telles qu'elles sont amenées dans *Chat sauvage*, puis les gens simples qui croisent le quotidien des personnages de Poulin et dont Van Gogh aurait pu tirer des portraits. Une serveuse, une aubergiste, un tabagiste, un caléchier, un vieux, une lectrice, un gardien, un employé de musée, et la façon de les regarder pour dire la solitude, l'inquiétude, la présence, ces êtres qui permettent de se sentir lié aux autres. Ce point de rencontre est tout aussi fascinant chez Poulin, que ce soit à travers les lectures, les personnes, les images, les citations, il s'agit toujours de se sentir proche, accueilli, la rencontre est infiniment plus importante que la fusion amoureuse, la rencontre éloigne de l'abîme, cet espace vide autour de la fusion. Si on creuse à l'intérieur de chacune de ces rencontres, l'équilibre est ainsi atteint.

*

Les personnages de Jacques Poulin ont besoin de se sentir liés, que ce soit la Petite dans *Le vieux chagrin* qui cherche sa famille dans les registres paroissiaux, que ce soit dans ce dialogue entre Marie et le Chauffeur du bibliobus dans *La tournée d'automne* (à propos des livres d'Hubert Reeves) :

– Je ne sens pas le lien, la filiation dont il parle. Je veux dire, je n'ai pas le sentiment de faire partie d'un ensemble. En fait, je me sens complètement isolé, tout seul… Et vous ?

Elle réfléchit quelques instants.

– Il me semble, dit-elle, que je fais partie d'une sorte de chaîne. Comme dans vos réseaux de lecteurs.

Si Jack, dans *Volkswagen Blues*, retient dans ses souvenirs de musée une œuvre de Rivera qui ne l'a visiblement ni touché ni atteint, on peut penser que seul le nom qui appelle la rivière a de l'importance. À l'image de celle-ci, de sa circulation, Jack décrira la chaîne d'assemblage de cette œuvre représentant « de gigantesques machines industrielles autour desquelles s'affairaient des ouvriers aux visages sans expression ». Et plus loin : « La chaîne était disposée de telle manière qu'elle s'éloignait de l'observateur, et l'automobile semblait toute petite à l'autre bout. La minuscule auto rouge était la seule tache de couleur vive dans l'immense murale de Rivera. » Encore une fois, Poulin nous fait assister à l'inclusion d'un élément aussi petit soit-il dans un ensemble. Rien n'est seul. Il y a un mouvement d'ouverture dans la rencontre, un certain réconfort à trouver ce qui nous fait défaut et une sympathie immédiate pour ce que nous reconnaissons être nous-même. Il n'y a pas de fermeture. Il n'y a que des possibilités de recommencements, que cela soit avec les livres, les tableaux, les personnes, il y a cette possibilité d'être proche de soi, d'être inattendu pour quelqu'un, et alors tout le bonheur de se sentir près d'une œuvre ou d'un être permet de se sentir vivre au plus près de soi.

*

Et puis, vous vous souvenez de ces promenades dans le Vieux-Québec ou ailleurs, au Mexique, aux États-Unis, qu'importe, on grimpe le long de petites rues, on entre dans les ruelles et on pourrait être aussi bien à Arles ou dans le quartier Montmartre. Les repas cuisinés ou pris au bistrot sont très simples, on regarde Jack éplucher ses pommes de terre et on pense aux *Mangeurs de pommes de terre*, on croise des danseuses, on entre dans les cafés et puis on trouve un Théo seul dans une cabane en train de mourir du cœur et on pense à la vie de Van Gogh dans le Borinage où il dormait par terre dans une cabane, on repense à cette balle tirée, on pense à l'oreille coupée et on pense aux boules Quiès de Poulin, de Jack ou de Jim pour se couper du bruit, on pense aux cartes de géographie, aux cartes routières, à tous les paysages traversés par ses promeneurs, ses voyageurs, et on pense qu'un écrivain c'est parfois un prédicateur, un peintre, un être en exil. Un écrivain, c'est toujours ailleurs. On pense aux crises cardiaques de Théo et de son frère Jack, on pense qu'ils sont atteints de la même douleur au cœur, comme Vincent et Théo. On pense à l'enfermement dans *Les grandes marées* ou à la fin de *Volkswagen Blues*, et on pense à Saint-Rémy, on dit *creeping paralysis* et épilepsie et à la fin on ne peut plus ouvrir un livre de Jacques Poulin sans y reconnaître non pas de simples affinités, mais bien l'esprit de Van Gogh toujours en train de lire, d'écrire, de commenter ses lectures à son frère plus jeune. On pense à ce rôle d'aîné qui se déploie, continuellement, de la même manière dans les livres de Poulin. On pense à Poulin le traducteur, le voyageur, on pense à son exil en France et devant cette fabuleuse présence de Vincent Van Gogh, je deviens comme Jack devant une toile de Renoir, absolument dessaisie. Est-ce possible, ai-je à un moment donné été emportée par l'écriture seule ? Et voilà, je ne sais plus si c'est Jacques Poulin ou son personnage écrivain dans *Le vieux chagrin* qui s'en mêle et me glisse cette citation : « Dans les livres, il n'y a rien ou presque rien d'important : tout est dans la tête de la personne qui lit. »

Ainsi, je relis, je refais les liens, je souligne, non moins passionnée que les lectrices de Poulin et vous ramène dans *Volkswagen Blues*, mais avant j'écoute encore Jim, dans *Le vieux chagrin* : « J'étais bien et mal en même temps, heureux et malheureux », et je pense à ces mots de Van Gogh : « je me sens triste mais joyeux » et il m'apparaît que toute l'œuvre de Jacques Poulin raconte un vieux chagrin. Ma plume s'arrête.

*

De partout, des livres étalés sur ma table sortent de grandes feuilles de notes et de minuscules marque-pages qui s'additionneraient comme autant de preuves, de présences. Mais à quoi cela sert-il de démontrer de l'extérieur tout ce que j'éprouve de l'intérieur de mes lectures silencieuses, concentrées, patientes aussi, puisque je ne suis pas une lectrice assidue de romans, mais bien de poésie, d'essais, d'écrits d'art, de correspondance, de journaux d'écrivains et d'artistes. Ici et là, je retire les signets, je relis une page de notes. Au tout début de *Volkswagen Blues*, le narrateur et la Grande Sauterelle cherchent à déchiffrer un mot effacé sur une carte postale signée de Théo. « Croix » ou « voix » se demandent-ils. Mais qu'il s'agisse d'un chemin de croix, de croisements, d'une course au trésor marquée de ce X ou d'un rallye de culture et d'histoire, les personnages empruntent d'emblée le chemin du voyage initiatique, de la quête, l'énigme étant ainsi donnée. Un livre, c'est aussi une crypte, et il y aura toujours des décrypteurs prêts à mettre en lumière une phrase, un mot, une lettre. Ces secrets vont comme le lierre, grimpent partout aussi bien dans le texte que dans le titre de la page couverture où s'enroulent les lettres du nom d'un personnage.

*

Des pages et des pages de notes que j'estime sans importance à côté de la rencontre que je viens de faire et qui m'habite amplement. Mais puisque Poulin a annoncé Renoir, je retourne à cette phrase de la Grande Sauterelle : « On commence par le Musée ? » Jack répond : « Oui. Et on ne cherche pas la trace de mon frère. » La trace du frère dans un musée peut s'associer à un tableau, mais peut aussi être associée à celle de Van Gogh dont le nom sera d'ailleurs évoqué un peu plus loin : « Lui, il préférait Van Gogh à cause de la force de... mais il disait que si je passais un jour par Chicago... », tout cela laissé en suspension. Que s'interdit le narrateur ? Que devons-nous tirer de ces interruptions, de ces abandons de la parole, doublement écrits comme si un miroir renvoyait un abîme de vide entre chaque point non relié, le tremblement d'une phrase, d'une secousse intérieure qui s'exprime tout juste après devant ce tableau de Renoir qui à l'origine portait le titre *Les deux sœurs* et que Jack décrit comme suit : « C'était une jeune femme assise à une terrasse en compagnie d'une petite fille. Le tableau était intitulé *On the Terrace, 1881*. Derrière la femme, il y avait une balustrade de fer envahie par des arbustes fleuris et puis une rangée d'arbres à travers laquelle on apercevait une rivière, des gens en barque et, plus loin, des maisons et des collines. La petite fille portait une robe blanche et un chapeau à fleurs, et ses mains étaient posées sur le rebord d'un panier de fruits qui était placé sur la table. La femme semblait très jeune; elle avait une robe noire et un chapeau d'un rouge incroyablement vif; l'expression de son visage avait une douceur infinie et cette douceur se confondait avec la lumière qui imprégnait l'ensemble du tableau. » Littéralement dessaisi, « la bouche ouverte, le regard fixe et les yeux mouillés. Il était complètement immobile ». Jack restera trois heures devant ce tableau. Figé, pétrifié, à l'image de ce frère qu'il retrouvera à la fin du roman. Mort d'une certaine façon, mort à son nom.

L'émotion que ce tableau suscite chez Jack est si forte qu'on ne peut s'empêcher comme lecteur de relire la description que Jack en fait et, bien qu'il soit demeuré trois heures devant, il n'a pas véritablement regardé puisqu'il dit: « La petite fille portait une robe blanche et un chapeau à fleurs, et ses mains étaient posées sur le rebord d'un panier de fruits qui était placé sur la table. » Or, il ne s'agit pas de fruits, mais bien de pelotes de laine (dont les chats de Poulin raffoleraient!), qui d'ailleurs à l'époque avaient attiré les commentaires et remarques, dont celle de Degas: « Il peut faire tout ce qu'il veut. Vous avez déjà vu un chat qui joue avec des pelotes de laine multicolore ? » Quand la Grande Sauterelle vient rejoindre Jack dans la salle des Renoir, il est toujours aussi absorbé et elle doit « s'interposer entre lui et le tableau » pour qu'il revienne à lui. Quant à l'expression du visage de la jeune femme, il est davantage empreint de séduction que de douceur. La douceur vient de la lumière sur la peau, mais ne part pas forcément de l'expression de cette jeune femme.

Et on se demande si c'est la rivière, la petite fille ou ce visage de femme, les embarcations derrière le rideau d'arbres, les regards opposés des deux sœurs ou l'ensemble du tableau qui baigne dans une lumière très particulière, comme si les arbres plantés ainsi à proximité de l'eau se mettaient à vivre autrement, comme s'ils bougeaient dans une vie autre, il y a longtemps, un temps d'enfance peut-être, un temps de lumière enlacée. Le souvenir de Théo condensé dans cette rivière, cette lumière-là. Chez Poulin, il n'est pas rare que les souvenirs d'enfance surgissent au bord d'un point d'eau. Dans *Volkswagen Blues*, ils se racontent seulement à deux occasions et dans les deux cas au bord d'une rivière.

Dans cette œuvre de Renoir, il n'y a pas que la rivière dont la surface reflète les souvenirs. Il y a le titre, *On the Terrace*, qui rappelle celui de Kerouac, *On the Road*, il y a la date miroir 1881 qui produit un effet de double et ces deux sœurs qui pourraient être aussi bien deux frères. Et plus on y pense, plus on se dit que les voyageurs de Poulin ne sont pas de vrais voyageurs, un voyageur ne traîne pas sa bibliothèque avec lui, mais de la terrasse un écrivain peut se mettre à voyager. Finalement, si c'était l'appel du mot *Terrace* qui avait déclenché tout ce trouble chez Jack, le personnage se projetant ailleurs, entraîné dans une constellation d'images que suscite ce mot, on pense à la terrasse Dufferin, à Québec, souvent citée. À la fermeture de la terrasse correspondrait le lieu d'écriture et à la rivière, son mouvement ininterrompu. Vu sous l'angle d'une influence de la forme esthétique qui se retrouve directement injectée dans l'œuvre de Poulin, ce tableau prend un tout autre sens. Au dessaisissement de Jack, à sa perte identitaire, correspond le travail de l'écrivain qui fond les noms propres dans une liste d'équivalents : que le tableau soit celui de Van Gogh ou de Renoir, s'il y a du Van Gogh dans Renoir, qu'importe !

Il y a aussi ce visage de jeune femme et quand Jack dira en parlant de Théo que c'est aussi « une traînée de lumière sur un visage de femme », j'aime penser qu'il s'agit de cette même lumière traversière. J'aime penser que lorsqu'on cherche un frère, un double ou un jumeau, il suffit d'ouvrir les lettres de Vincent Van Gogh à Théo, ou que dans la fraternité des personnages de Poulin, d'une petite chambre, des boissons chaudes, des confidences, d'un accueil fraternel dans le blottissement des mots, vous attend une lumière, une phrase dans un livre qu'un personnage vous montrera du bout des doigts comme s'il s'agissait d'un invisible pinceau.

Geste

Mon amour des objets, des beaux objets simples, utilitaires, usés, souvent anciens, m'aide à franchir le quotidien, à en aimer les gestes, la répétition, les usages.

Gris

La solitude que je redoutais avant de commencer cet essai se compare à un épais brouillard qui à présent s'estompe. Mais que de temps j'ai pris pour le traverser avec l'impression d'avoir été au bout de cette grisaille, comme si j'avais été trop longuement tenue enfermée dans le paysage sans pouvoir m'abstraire de ces gris, comme si ces gris m'avaient donné à sentir plus près encore les toiles de Giacometti et la durée de l'effacement.

Par ailleurs, sans cet état d'hypnose, sans ce plus pur état d'effacement, cette soudaine apparence de pureté qui défie l'abstraction, je n'aurais pu commencer un nouvel essai.

*

Quand je songe à tous ces brouillards, je pense à autant de lointains, à ce que mes lectures de Pessoa ont pu laisser sur le disque dur de ma mémoire, car elles m'ont fait tant de bien quand je l'ai découvert, comme si des pages entières avaient été écrites pour moi tant elles me révélaient ce que j'étais et ce dont je pouvais être faite.

Herbier

Toutes ces lettres bien pliées comme des linges de toile, quand les relirai-je ?

Hiver

La fournaise à huile, dans son armure singulière, comme un démon saturnien, paraissait prête à brûler nos mitaines et nos gerçures. Elle surgissait avec l'hiver dans un train d'enfer et d'angoisse. Près d'elle, une fois domptée, il m'arrivait de me réchauffer le ventre et les mains. Mais la plupart du temps cette fournaise me forçait à vivre au beau milieu des flammes, comme le poêle à bois, comme le chauffe-eau à gaz, comme les longs tuyaux qui passaient au-dessus de nos têtes, insistants, menaçants. À tout moment, le feu aurait pu s'échapper de ces conduits. Enfant, je n'y ai vu que de noires fumées me séparant pendant quelques instants du tablier fleuri, et répandant de la suie autour des rameaux, des cadres et des bibelots, autour de notre peur.

Inachèvement

Si nous acceptons cette part d'inachèvement inscrite dans chacun de nos livres, nous croyons qu'il s'agit bien de matière et nous savons que cette matière travaille. Cet inachèvement se lie étrangement à une autre forme, celle de la continuité. Pour Georges-Arthur Goldschmidt, auteur de ce remarquable livre qu'est *La matière de l'écriture*, « cet inachèvement est peut-être le contenu profond de l'écriture, précisément de ne pas pouvoir s'achever ».

Je sais la durée qu'ont les livres, mais lorsqu'il s'agit de mes propres livres, l'étonnement va grandissant.

J'ai remarqué que, très souvent, lorsqu'on me parle de mes premiers livres, les lectures riches qui en sont faites le sont devenues parce que le livre a continué avec son lecteur ou sa lectrice. Alors que, pour moi, le livre est demeuré fermé. Des particules de ces livres retombent ailleurs, ces traces viennent à mon insu marquer le territoire de l'écriture et je m'en réjouis comme d'une présence, comme d'une visite qui brise la solitude.

Sous cette apparence d'inachèvement, il y a donc un mouvement continu. En tant qu'archiviste de ma solitude, je me dois de rassembler les éclats d'enfance, les sourires de mère, les poèmes, silences et insomnies, les lenteurs et les lettres qui s'ouvrent à d'autres lieux, d'autres visages, mais toujours dans la continuité du ciel, dans la pratique du bleu.

INDIGENCE

> Celui qui crée ne peut se détourner d'aucune existence.
>
> RAINER MARIA RILKE

Même dans les périodes d'indigence, je ne cesse d'écrire. Cette tension, cette résistance vive se transforme en énergie. L'indigence doit être une forme de liberté, un éveil. Elle peut devenir processus quand elle devient la flèche qui file à l'essentiel.

L'indigence est une sorte de lieu sacré pour bien des poètes, bien des artistes qui vivent dans la précarité. Cela mène souvent à des œuvres voisines du noyau humain, d'une violence, d'une blessure, aussi bien que d'une bonté, d'une faiblesse, plus près en somme de l'intensité en continuel lien avec la pauvreté. Tout l'art du XXe siècle est marqué par cette esthétique de la réduction, de la soustraction toute tendue, tout à l'écoute.

Il faut relire les magnifiques réponses de Sylvie Germain à la question posée par Hölderlin sur l'indigence et qu'à trois reprises elle scande dans son livre d'amitié offert à Bohuslav Reynek, peintre et graveur qui, à travers cette époque de misère, ces fosses communes, ces hivers de froid, ces massacres, résista à ce désordre et ne quitta jamais son sentier de création et sa ferme, le centre aimant du monde : « [...] et pourquoi des poètes en un temps d'indigence ? » reprend Sylvie Germain. « Pour arpenter les petits chemins délaissés par la plupart des hommes, pour converser à mi-voix avec les éléments et les esprits des lieux et aussi avec les arbres, les plantes, les animaux, pour récolter à fleur d'invisible d'étincelants bris de beauté. Pour souligner l'ampleur, la gravité de l'indigence régnante, et dans le même mouvement pour défier cette indigence et refuser de se soumettre à sa mortelle fadeur, de succomber au poison de l'ennui. Pour défricher des sentiers de traverse conduisant vers l'insoupçonné, vers l'inespéré. Vers de plus vifs aujourd'huis. »

*

La poésie habite la déchirure, l'indigence, les creux, les lunettes sales, l'eau de pluie des barques, les trottoirs qui éclatent, le bourdonnement du tilleul et les enfants mal assis qui, dans l'inconfort des placards, renversent le monde.

Instant

Le peintre et le poète partagent l'immédiateté. L'instant marque le trait, le geste. Soyons le vif instant, parlons bleu indigo et noir de mars, doublons notre langue d'un trait, d'un mouvement, d'une instance de la matière. Saisissons-nous de ce qui bouge devant nos yeux, demeure impalpable, mais combien proche de la vérité, de la présence, de ce cercle de silence d'une pureté monochrome où entre la lumière. Même pâle, même délavée, même effacée de ses rayons, même réduite de son éclatement, de sa hauteur et de sa neige, la lumière nous rapproche d'un même langage, d'une même intensité.

Instrument

Lire la poésie nécessite une écoute de soi-même. L'intérieur est le premier instrument.

Intime

L'appellation « écriture de l'intime » m'apparaît un leurre. Le poème n'est-il pas un lieu où le poète d'emblée se retire et se retrouve nécessairement dans une situation qui crée un espace intime ? Cette relation sensible qui existe entre le poème et le poète n'est-elle pas le gage premier d'une profonde intimité ?

Écrire *je*, ou que le poème s'adresse à nous comme à un confident, ne suffit pas à susciter un éclairage intime, tout passe par la voix et le silence. Le degré d'engagement qu'un poète révèle dans un texte passe dans cet équilibre voix, silence. Qu'y a-t-il dans cet amalgame ? Le juste ton, le point de vérité, l'élan ou la chute.

Imaginez, dans un seul vers, un seul paragraphe cadré dans un minuscule rectangle de tension, les poèmes, les poètes nous font voir leur abandon, leur inquiétude, leur corps meurtri, les vêtements sur une chaise, leur ruelle d'enfance et surtout leur regard. Et quand on entend la voix du poète couvrir cet abandon, se pencher sur les épluchures de pommes de terre, envelopper les blessures, une intimité encore plus profonde se produit, celle-là même qui nous atteint dans notre propre inquiétude, dans notre propre regard.

Lire de la poésie, c'est consentir à être transformé, accepter l'obscur, veiller sur le monde des choses, des objets, aussi bien que sur une lente respiration. Accueillir une grâce, quitter le temps pour l'instant, rompre avec sa langue, être en exil des habitudes que l'usage des mots a créées en nous. Réapprendre à dire *personne* dans la langue de Celan, de Pessoa, de Louise Dupré ou de Paul Chanel Malenfant ne crée pas le même contact, la même touche. Dans la chair du mot, il y a l'histoire, l'origine, l'émotion que le poète lui accorde, que le poème consent à lui donner.

Si je dis *personne*, je dis plus vaste que l'abîme, je m'approche plus près de l'épreuve de solitude, plus près de l'absence. Quand j'écris *personne*, je ne suis ni à parler ni à appeler, je suis à accueillir, à faire de ce mot en apparence vide de corps une présence prête à me soutenir dans cette épreuve.

*

Il n'y a rien de plus intime que la langue que je crée, car elle va en dessous de la langue d'origine, dans une zone intérieure qui m'a précédée. La parole au centre de rien, enfouie dans un trou noir quelconque, énigmatique, aspire et appelle depuis la nuit des temps. Cet espace infiniment modeste n'a ni l'amplitude ni la hauteur du mot *écrivain*. Couchée sur le dos, la main plongeant dans les cendres, refusant de dormir et posant des questions sans y répondre, inventant voix et stèles sur la feuille blanche, ainsi suis-je au plus près de moi.

JAUNE

En poésie, l'objet répété n'est jamais le même. Si je dis *couleur de terre*, *odeur de terre*, la dernière fois que je reprends ces mots s'investit des autres pages où la phrase a été scandée. Si vous entendez encore ces mots bien après que le livre a été refermé, votre *couleur de terre*, votre *odeur de terre* poursuivent le mouvement. Savoir que je fais partie de ce mouvement-là et que je ne suis pas seule, plus seule à penser à Marie Uguay devant ces mots, me réconforte. Car c'est en sa compagnie qu'ils ont été prononcés la première fois, alors que toutes deux nous parlions de la campagne, de Colette, de livres, de librairies et d'amour, sous un soleil de plomb.

Souvent je pense à Marie quand je me retrouve dans cet arrière-monde, assez seule pour entendre le bruit de son corset, de sa canne et des mots qui devaient traverser sa bouche avant de tomber au bas de cette petite robe jaune de la Nuit de la poésie. Comme si le jaune continuait le trait pâle, accentuait cette force contenue dans la pâleur, et dans cette page qu'elle tenait. Alors m'apparaissent tantôt les oranges de Cézanne, tantôt une procession de fantômes et de lits blancs. Je ne peux pas dire que mon affection pour elle a continué sans elle. Elle est bien trop près dans mon esprit, et l'attention que je porte à ses livres tient lieu de visite et de rencontre, assez pour revivre le jaune.

Lenteur

La demande de Michèle Desbordes, une splendeur. J'éprouve tant de bonheur en repensant à ce récit que je l'amène avec moi dans cet essai. J'ai besoin de cette lumière-là pour m'avancer vers la page blanche, absolument blanche, de ce gage lointain. J'ai besoin d'imaginer une vague présence qui m'y attend, discrète et claire.

*

Plus qu'une simple évocation, j'ai besoin d'en parler, de me rassembler plusieurs fois autour de ce livre. Des pages de notes, écrites dans l'angle de réflexion de cette citation de Jean-Michel Maulpoix : « L'homme qui crée veille sa propre mort. »

*

Nul doute que le *dernier pays* que franchit le grand maître italien suivi de ses trois élèves et où l'attend une servante sans âge qui les servira dans le plus grand effacement se déplie dans un arrière-monde marqué par le silence et l'intensité, les insomnies et les inquiétudes, la rencontre du visible et de l'invisible – « l'ignorance à chaque instant de l'instant qui venait ». Ces absences expriment exactement les mêmes forces et les mêmes tensions qui se vivent pendant l'accompagnement d'un mourant et pendant l'acte créateur.

*

Si *La demande* me touche tant par son rythme, son souffle, sa lumière et son esprit, c'est que ce livre intériorise la création et l'interpelle constamment jusqu'à en être *calmement désespéré*. La fascination de cet arrière-monde se trouve d'emblée définie par le mouvement qui est donné aux choses, par la lenteur, le vif du regard, les objets silencieux presque pesants, le monde endormi ou absent de toute espèce de fébrilité extérieure qui rejoint les voix autour de la table, sous la lampe, qui atteint les mains de la servante, monde qui sans cesse vient se fermer dans les plis de ses jupes, sur les ombres épaisses qui cernent et distancient les objets. L'acte créateur ressemble à cet état de veille, de retrait, d'attente, qui alterne entre la tension et le calme, l'immobilité et l'action. Cette attention accrue au monde dont font usage et l'artiste et la servante, cette intensité des sens, n'est que réceptivité. Elle permet le surgissement de l'œuvre, traversée de rituels.

*

Ce travail de répétition, tant le maître et la servante que les procédés d'écriture de Michèle Desbordes l'accomplissent. Lui dessine, écrit, corrige un contour, rehausse une ombre, discute avec ses élèves, se retire dans l'atelier. On sait qu'il remplit des carnets et qu'il travaille à des projets de sculpture, d'architecture, de dessins, et sculpte pour sa servante un bijou de pierres de verre. Mais le difficile travail qui consiste à extraire du désordre la forme pour laisser apparaître la beauté, l'invisible, revient à la servante et, tant que l'œuvre n'est pas terminée, le repos lui est interdit. L'artiste, le maître, qui sans cesse dessine, écrit, noircit d'innombrables carnets, représente l'œuvre faite, pratiquement achevée, tandis que la servante, qui sans cesse s'investit dans de multiples rituels, figure l'œuvre en train de se faire. À la jonction de ces deux dimensions, l'œuvre se crée.

*

Si le propre de l'écrivain est d'entretenir le silence, de le creuser, de l'habiter, la servante parle donc comme un écrivain, elle dont la parole continue le silence. La servante tient lieu d'image pour servir le texte, le nourrir, le polir, en alimenter le feu, y mettre de l'ordre, l'organiser, la servante conduit l'œuvre, garde la page blanche. Cette blancheur de la page apparaît dès les toutes premières lignes du texte proprement dit et elle devient la lumière essentielle : « seul brillait le blanc de la coiffe ». De même, la personne de l'auteure, au profit de l'écrivain, doit se *nier*, s'effacer, se dissoudre, « c'est à peine s'ils la voient en entrant », telle la servante, tout habillée de gris, qui se fond déjà dans la pierre, les paysages, les tissus, la mine des crayons. À la fin du texte, l'œuvre apparaît dans toute sa nudité derrière son « corps si frêle, presque invisible », surgit alors la robe de la servante, « son étonnante clarté, la blancheur mate de l'étoffe travaillée par l'usure ».

*

La robe, c'est le texte, le temps donné à la servante pour prendre vie et mort sous nos yeux. Tout tend vers cette idée de faire corps avec l'œuvre, et ce, tant du côté de l'artiste que du côté de la servante. Cette idée se cristallise au centre du récit, alors que la servante voit venir « deux enfants qui n'avaient ensemble qu'un seul corps ». Plus que des jumeaux, des siamois, leurs corps sont attachés l'un à l'autre. Si l'artiste et la servante viennent tant à être inséparables, c'est que tous les deux *veillent leur propre mort*. Leur façon de regarder chaque chose vivre devient aussi essentielle qu'elle l'est pour un créateur qui sait qu'il bouge à l'intérieur de son tombeau. Bien que la mort termine un cycle et que le deuil permette un recommencement, mort et deuil demeurent intimement liés à l'acte créateur.

*

La servante détient la méthode et l'artiste la construction. En effet, tout son travail est méthodique, organisé et appliqué. Elle crée le mouvement, par son travail sans cesse elle se porte en avant, poussée par le souffle créateur. De ces gestes répétitifs une constance hypnotique prend forme dans l'écriture. Cela crée un effet de flou, de brossé, qui ébranle la précision des lignes de l'artiste.

*

En parallèle s'élabore la construction. Aux premiers éléments architecturaux présents dans les dessins de l'artiste, façades, escaliers, s'ajoutent les colonnades, les frontons, les portiques, jusqu'à la décoration des chambres qui referme l'espace sur lui-même. Puis, le maître reprend son crayon et un autre château apparaît. Arcades, escaliers, toits. Ailleurs encore, ponts, dômes, coupoles, arcades, escaliers. Et, de remontée en descente le long des lignes architecturales, l'écriture touche la pointe des arbres, le vent ou l'odeur du soir monte, la lumière descend, ou alors la servante remonte le fleuve et le maître la voit marcher. Le rythme ainsi maintenu permet au texte de ne pas être menacé par la lenteur des gestes et les voix basses. Je vois dans cette lenteur toute l'avancée du processus de création. Pour un artiste, les choses se terminent rarement, elles se continuent petit à petit et font partie d'un ensemble. Cette durée crée la lenteur.

*

La relation de désir entre l'artiste et sa servante n'est pas sans rappeler la notion de désir absolument nécessaire pour se tourner vers une œuvre et s'y laisser absorber jusqu'à être dépossédé de soi-même. Un créateur vit sans cesse à l'intérieur de lui-même, c'est d'abord en lui que l'œuvre se crée puis se transforme et se métamorphose à partir de son matériau. Dès lors, il n'est pas étonnant que la servante offre au maître tout l'intérieur d'elle-même, car c'est là, au plus secret, dans l'invisible, que naît le désir créateur. Ce don de soi, cette relation d'amour total qu'éprouve un créateur ressemble fort au dévouement, à la générosité et à l'abnégation de la servante.

*

À mesure que *La demande* avance, la servante s'éloigne d'elle-même : « Elle était là sans être là. Il ignorait à quoi elle pensait. » Pendant que lui dessine les fossés et la profondeur des jardins, entre elle et le monde, un écart s'installe, les choses lui glissent des mains, les pas se font incertains et le regard lointain, son sourire même tarde à venir comme s'il avait déserté son visage. L'atteinte de cette dépossession se concrétise à l'intérieur de ces solitudes qui se font face et qui ne sont pas sans rappeler celle qui sépare l'écrivain du lecteur et l'écrivain ou l'artiste de lui-même. Cette épreuve de la rupture est partout présente et les rituels d'atelier ou des travaux ménagers, bien qu'ils soient en continuité, ne peuvent recoller cette césure.

*

Après un certain temps, l'œuvre du grand maître s'efface : « C'est alors qu'achevée, plus qu'achevée, l'œuvre pâlissait, perdait lignes et couleurs » ; « il n'en resterait rien si ce n'est les couleurs délavées et les regards éteints, plus que morts, de vagues silhouettes aussi fantomatiques que celles qu'ils exhumaient des cités antiques enfoncées sous les décombres. » Tout l'univers du livre se trouve contaminé jusque dans le paysage. En effet, cet effacement par la suite se prolonge à l'extérieur : « sur les coteaux la lumière pâlissait, jour après jour se veinait de gris ».

*

Lorsque le texte dit que la servante « préparait pour eux carpes et lamproies, petits brochets du fleuve, anguilles qu'elle écorchait, retournait comme un gant », cette image révèle l'auteure travaillée, écorchée et retournée par sa création. Le gant renvoie à l'action de faire corps, il renvoie à la justesse, à la main qui écrit, qui est au travail. Une fois le gant retourné, il n'y a plus de barrière protectrice. Tout comme l'anatomiste cherche à connaître l'intérieur des corps, la servante, elle, ouvre le corps de la matière. Comme si l'éloignement de la servante et l'effacement de l'œuvre du maître favorisaient l'éclosion de l'œuvre de Michèle Desbordes. Dans le travail de création, une partie de soi meurt et n'a plus de prise sur ces fantômes. Écrire est un accompagnement.

Livre

Du don que nous font les livres, nous nous devons de garder l'esprit, la source vive. Ainsi je crée, plongée dans le paysage qui se prolonge tout autour de moi, avec ce qu'il porte, avec l'essence, l'énergie qui existe entre l'espace et le vide, entre le pas, l'objet, le nuage.

LUMIÈRE

> Une des joies les plus intimes est la perception de la lumière dans la matière.
>
> ALEXANDRE HOLLAN

La lumière, l'arbre, le trait : ces mots désignent beaucoup plus que des objets d'écriture ou des thèmes. Ce sont des mouvements, des processus, des guides. Ces mots me font traverser, agissent à titre de passeurs. Ce sont des lignes : la lumière jaillit ou projette, l'arbre se dessine ou s'élève, le trait reprend ces élans. J'imagine chaque poème comme un éveil.

*

Je ne fais pas un inventaire de mots, je travaille la lumière pour éclairer ma conscience. Je crois que chaque mot diffuse une clarté qui va de l'étincelle à l'incendie la nuit. À l'intérieur de ce spectre lumineux, il existe une multitude de variations possibles. Une collection de lumières.

MARDI

Le geste d'écrire ne me manque pas. Mais la qualité de silence que je trouve dans l'écriture, oui. Pour retrouver ce silence, son opacité qui laisse pourtant entrer tant de lumière, j'écris. De cela, je ne peux me passer très longtemps.

Entrée dans cette lumière, je me demande si cela ressemble au silence des prières qui flottent dans les cloîtres, les abbayes, au pied des autels dans les églises. Mais la spiritualité, peut-être justement comme l'art, ne demande pas à être comprise ni expliquée, au contraire. N'est-ce pas ce qui est étranger à l'artiste qui lui permet d'avancer dans son langage ? L'essentiel de l'expression doit demeurer un mystère comme j'imagine la foi.

Matière

Ce que je lis, je pourrais le comparer à du compost. De la philosophie, de la poésie, des albums pour enfants, des essais, des mystiques, des baroques, tout cela j'en suis certaine se dépose au fond de moi, se mélange à ma langue.

J'ai toujours cru que toute cette matière invisible que nous laisse la lecture s'organise, se transforme, afin de se préparer au lent travail de transfiguration que produit la pensée.

Méditerranée

> Mais tu verras ! Dans ce monde, fermer les paupières est une naissance dans la lumière.
>
> Marina Tsvetaïeva

Je venais à peine de fermer les yeux, d'arriver enfin dans la somnolence de juillet, sa moiteur. Je venais à peine de remonter le tissu de ma jupe jusqu'au haut de mes cuisses quand je sentis une présence bondir sur la table, à côté de moi. Je m'attendais à ce qu'un flot de paroles bouleverse l'ordre des choses, mais il n'en fut rien. Je pouvais m'offrir en paix au soleil de ce lent après-midi d'été, ma petite fille dormait dans sa poussette sous un cèdre et mon grand de sept ans était là, assis sur la table, en position de méditation. La chose me paraissait bien claire, mais si inhabituelle qu'au bout d'un moment je finis par lui demander ce qu'il faisait. Sans remuer les paupières, il dit, sur le ton de l'évidence : « Je fais de la Méditerranée. »

Alors, j'ai refermé de nouveau les yeux et ensemble nous avons regardé la mer dans notre tête, la lumière pleine de pastilles et de confettis.

Mélancolie

Il me suffit d'entendre le mot *mélancolie* pour voir apparaître un mirage. Le mot lui-même en est peut-être un, mais je ne saurais en accepter la tromperie puisque j'aime ce mot, j'aime l'entendre glisser dans ma voix.

Il me semble que le climat mélancolique baigne dans la même douceur, la même rêverie, le même flottement que ce temps surnaturel qui règne en nous et autour de nous lorsqu'en plein désert on aperçoit un mirage. Dans ce regard penché vers un ailleurs aussi imprenable qu'une nappe d'eau s'ouvre un continent intérieur. Cet appel de l'eau dans le mot *mélancolie* est particulièrement beau. Je n'y sens là aucune source glacée, aucun courant d'effroi, de bile noire, aucun désordre d'anxiété et de dépression.

Je découvre dans l'expression de Victor Hugo, « le bonheur d'être triste », presque un souffle de liberté. Qu'est-ce à dire ? Je pense à un état contraire à la colère. À un mouvement de paix dans cette ouverture et cet appel de l'autre, celui qui vit en nous ou près de nous. La tristesse devrait être considérée comme un don, car un état fondé et construit pour autrui, qui permet l'expression d'un langage et rejoint des seuils de profondeur insoupçonnés traduisant d'autres mouvements, comme la compassion et l'empathie, ne peut nous rendre que plus humains. Être triste accentue notre seuil de conscience et fabrique une intelligence qui caresse et porte à consoler. Il arrive un moment dans la vie d'un artiste où le besoin de prendre le monde et de l'envelopper pour le consoler fait partie d'un processus de deuil, mais aussi de paix. Cet élan franchit alors une dimension qui s'ouvre à une marche universelle, à une démarche créatrice ouverte sur le monde, comme la langue des signes qui dans le bougé des doigts transmet l'essentiel de la parole.

La mélancolie ne vient donc pas seule, elle est comme la nuit qui apporte le jour. En portant le chagrin dans ses voiles et ses brumes, la mélancolie dépose un peu plus d'humanité sur le visage du monde.

Elle couvre de roses le feu.

Ménagerie de verre

Angela Grauerholz : le nom de cette artiste photographe me renvoie à un miroir de poche bordé de satin noir. Un visage de femme bouge à l'intérieur. Ses yeux brillent comme des bijoux. Quand je regarde ces flous qui créent de l'eau, ces lustres allumés et toutes ces taches translucides, ces cascades qui ruissellent, je pense à de fins glaçons pour couper les pages des livres, ouvrir des enveloppes. Dans mon sac à main, j'aurais emporté la soirée où j'ai vu un édifice se remplir de larmes dans un calme glacial.

Minuit

Il me suffit d'entendre « minuit » pour repousser l'obscurité vers les murs et les rideaux. Dans ce monde absent, je me promène un verre d'eau dans une main et un livre de Beckett dans l'autre à la recherche d'un bercement. D'une longue coulée terrestre.

Minuit trente

Les poupées de soucis piquent ma nuit, petits accessoires cruels qui testent les degrés du sommeil et réveillent mon corps gelé.

Je voudrais assez de moi pour sortir du lit et te chercher pour me réchauffer. Tandis que tu ferais de mes pieds du cachemire ou du papier froissé, je me perdrais dans ta chaleur. Ainsi me permettrais-tu de m'échapper avant que l'hiver ne nous dévore.

Miroir

Je rêve d'un miroir qui ne nous renverrait aucune image, aucun reflet de nous-même. Juste le ciel, l'eau, les arbres ou les pierres. Et le son d'une voix parviendrait jusqu'à nous.

*

Quand je regarde la neige tomber, la cime du grand pin osciller sous le poids de la neige, quand je plonge mon regard dans un autre, c'est comme si je me regardais dans le miroir en me demandant : « Que fais-tu là, vivante ? »

Généralement, quand je me pose cette question, j'ai très chaud, mes jambes se ramollissent et j'ai soudainement conscience de ma respiration.

Modèle

Les modèles souffrent. Dans chaque poème, je les ai vus souffrir, atteints par la douleur et la maladie. Ils sont exposés à toutes les sensations, dans les ateliers de glace ou dans une trop grande chaleur, ils font face à l'immobilité extrême devant le vide, mais ils sont parmi les personnages susceptibles d'avoir une âme. Le mot *modèle* renvoie-t-il à l'image que les poètes ont d'eux-mêmes quand ils écrivent ?

Musée

> Le travail de poésie consiste à se rapprocher le plus près possible de l'inexprimable.
>
> Jean-Michel Maulpoix

Est-ce pour ouvrir une voie vers l'impossibilité de dire, de parler de la blessure, du manque, ou de la beauté, que le poète trace souvent son chemin à l'aide de croquis, d'esquisses, d'études, de dessins ? Est-ce lorsqu'il n'a plus de mots que le poète se rend à la galerie, au musée, à l'atelier, et qu'y cherche-t-il ? Que connaît la poésie de la couleur ?

Le recours à l'art permet-il au poète de s'approcher de l'inexprimable ? Je pense que plus le poète touche au mystère, à la difficulté de dire, plus il a recours au silence des natures mortes, des tableaux, à l'espace sacré des musées.

*

Ouvrir un recueil de poésie, c'est entrer dans les salles d'un musée. Le souffle, le silence, le vide, le brouillard, la cendre, la nuit figurent parmi les matériaux inestimables. Ils deviennent tableaux du jour, traits d'inquiétude, mouvements circulaires qu'il convient de déposer en lieu sûr.

*

Je remets dans ma bibliothèque, à sa place, *Le musée de l'os et de l'eau* de Nicole Brossard avec une infinie précaution.

Nature morte

Disposées au centre d'une table ou isolées sur une console, au fond de leur bol, de leur bouteille, des nervures du bois ou des plis de la nappe, loin dans leurs couleurs, leur immobilité. Les natures mortes : des lieux en retrait du monde, des demeures de poète. Horloges arrêtées dont le balancier reprend son rythme dans l'écriture.

*

Dans une nature morte, « les choses hésitent », écrit Alexandre Hollan. Est-ce dans leur incertitude qu'on les sent si proches de nous que même le pichet de granit bleu semble appartenir encore au geste de la main, à une fine coulée d'eau fraîche qui descend vers les plantes ? Est-ce cette présence, cette gestuelle comme sortie de nous qui nous touche tant ?

Noyau

J'ai parfois tendance à croire que je ne parcours pas ce chemin mystérieux toute seule. Alors, je pense à Dieu, puis je me ressaisis. N'est-ce pas moi qui ai travaillé dans la solitude et l'épuisement ? Je me ravise, peut-être que Dieu est solitude, est épuisement ?

*

Si les créateurs interrogent tant Dieu, outre le caractère sacré, ritualisé, spirituel de l'œuvre d'art, est-ce parce qu'Il peut prendre toutes les formes ? À agir continuellement sur la forme, n'en viendrions-nous pas à nous rapprocher de Dieu ?

Qu'Il soit lumière, force ou présence, ces mots à l'intérieur d'une prière ou d'une œuvre d'art portent la même énigme, la même matière, le même noyau.

Nuit

Je me sens de plus en plus habitée de nuit. Mes pas prolongent cette matière sombre. Je ne sais pas si cela correspond à une tranquillité intérieure ou si cela me vient de la poésie. Ces couches bleutées, insolubles, ces matières lentes et aqueuses que tout le jour je traverse en aspirant toute la lumière.

Objet

Cela prend des années à se rapprocher de son objet, à ne pas en avoir peur, à lui donner la juste tonalité. Je demeure incapable de lire certains de mes textes. J'aurais peur de les briser, plutôt, je craindrais qu'ils me brisent. Certains textes doivent rester muets, d'autres morts, le livre est leur tombeau.

Obscurité

À chaque recueil, je me prépare un fond d'obscurité fluide comme la lumière.

Flannery O'Connor

Quand je parle d'elle, je l'appelle par son prénom, c'est dire la familiarité installée entre nous à la lecture de sa correspondance d'abord, puis de son essai par la suite. Il y a quelque chose de doux que je traîne dans ma voix quand je dis son nom, de la flanelle, rien d'une familiarité déplacée.

*

Je relis ces lignes et soudain je marche dans une rue tranquille et ombragée, une rue bordée de lilas. Je ne connais pas de mot qui demeure seul. Je pense que les mots, qui semblent nous emmener ailleurs, nous conduisent en réalité précisément *là*. Car, outre les douceurs de mai dans *Flannery*, il y aura toujours pour moi dans le nom de famille *O'Connor* un couple de gens âgés que mes parents fréquentaient à la campagne. Ils possédaient un jardin qui se déployait dans le chatoiement des conversations anglaises et de grands verres de limonade pris à l'ombre des arbres fruitiers. Enfant, j'aimais contempler cette maison d'été sur fond de jardin anglais, gardée par des massifs de rosiers qui n'en finissaient plus de s'épancher sur nos pas, pour parfumer longtemps ces visites dans nos mémoires.

Ombre

L'ombre est cette main qui n'écrit pas, mais qui vers la corbeille avance.

Origine

Il m'apparaît essentiel d'apprendre aux tout-petits à nommer le monde avec les couleurs. Le bol jaune, jaune citron, la maison bleue, la langue blanche. C'est le début d'une émotion, d'une sensation. Après, il sera possible de parler de ce bol et de chaque chose autrement. Choisir une couleur, c'est déjà imaginer un monde. Scellé dans sa couleur, l'objet devient à la fois le contenu et le contenant, l'origine même. Les murs se rapprochent et les plafonds s'éloignent. Les choses dont je me souviens le plus baignent dans leur couleur d'origine. Ivoire. Bordeaux. Ambre. Gris fer. Marine. Et elles pourraient m'emporter, yeux fermés, dans les wagons d'un train.

*

Quand je nomme le bleu, je me tourne vers l'origine qui peu à peu se dévoile.

*

Oui, la couleur peut descendre très loin pour faire remonter les objets.

Oubli

J'ai tiré les rideaux et je regarde les arbres, mais voilà que ses photos d'Irak et du Liban passent et repassent devant ma fenêtre. Puis, des visages de poètes, d'écrivains me regardent comme ils l'ont tous d'abord regardée. Sa façon d'approcher le monde passe par tous les visages qu'elle accueille et cela m'atteint.

La photographe ne craint ni les vastes territoires en guerre ni l'exiguïté d'une chambre noire où, à travers la souffrance, le courage et la force incroyable de ses sujets, la vie, leur vie, lui apparaît. Avec ce même courage, elle s'avance, elle sait s'approcher de l'abandon, celui du poète, de l'ancien prisonnier, de la mère épuisée par l'attente et l'insomnie, tout aussi bien, tout aussi respectueusement que de la poupée dans les décombres ou du repliement d'un jardin dévasté. Tous ces absents à qui elle sait être fidèle. L'oubli n'existe pas. L'oubli est une force. Oui, plusieurs de ces photos sont aussi belles que le poème *Requiem* d'Anna Akhmatova. J'y reconnais la même patience des femmes aux portes closes des prisons.

Il en ressort une épreuve. Vivant visage. Une épreuve signée qui fait œuvre et d'où peut naître la beauté. Ainsi, l'image vit pour nous dans le cadre qu'elle nous donne. Avec elle, nous nous recueillons. Peut-être devenons-nous meilleurs et plus nombreux à réfléchir la paix.

Ouverture

Ce don des livres, de l'œuvre d'art ou de ces présences organiques s'apparente à un geste d'écoute, comme celui de tenir le pouls, le battement, le tremblement. La chose qui vit, son côté lumineux et son revers grave, m'importe et j'ai besoin de me tenir près d'elle, comme des arbres. Pour répondre à sa justesse, à son rythme, à ses mouvements intérieurs et en conserver l'essence, la pulsion, il me semble qu'à travers toutes les données du langage seule la poésie peut rejoindre cette énigme, cette ouverture, cette hauteur vibrante et invisible qui est celle de toute matière.

Patience

> Une forme doit être traversée, sinon elle demeure une forme.
>
> André Lamarre

Je ne remercierai jamais assez le professeur Leonard Rosmarin de m'avoir offert son livre *Emmanuel Lévinas, humaniste de l'autre homme*. C'est exactement l'ouvrage que je cherchais pour mieux comprendre la pensée de ce philosophe qui, même dans ce que je ne saisis pas, éclaire ou relance un mouvement intérieur qui me conduit à l'écriture. Comme je l'expliquais à Leonard Rosmarin, j'ai besoin d'un écran entre moi et les objets, besoin d'entrer dans un couloir de brume qui communique avec la poésie, pas seulement pour me dessaisir, mais pour traverser la matière. Très souvent, les textes de philosophie me plongent dans ce brouillard. Parlant de Lévinas, Leonard Rosmarin écrit : « Il soutient que le Juif est déjà auprès du Seigneur, tandis que le chrétien s'achemine toujours vers Lui par l'intermédiaire de la figure du Christ. »

S'acheminer vers, en passant par un intermédiaire, voilà qui me parle. Je crois que le poème ne fait pas autre chose que de *s'avancer vers* par l'intermédiaire de figures et d'images. Cette marche vers l'invisible, où de la lumière se détache tant d'espérance, me rappelle celle des croyants. La poésie noue avec le monde un lien spirituel qui m'apparaît toujours aussi riche et illimité. Par conséquent, elle fait de moi un être plus libre dans la forme qui me convient pour aller vers Dieu ou vers rien. Je ne peux pas affirmer que j'ai la foi, je peux dire que je m'achemine et que, comme pour tout croyant, pour tout artiste, la route est longue. Je me réjouis d'une part de l'existence de nous-même qui n'est jamais finie et qui œuvre, dans la patience, dans un rythme tout autre. La patience n'est pas un état passif, pas plus qu'elle ne grandit à l'extérieur de nous. Au contraire, cette force de durée, cette résistance est nécessaire à la création. La patience permet à l'homme de demeurer dans un état d'éveil qui, aux pires moments de stupeur, lui permet dans le non-agir d'agir avec une force de frappe incroyable. Une apparence de passivité capable de renverser l'ordre des choses. Ainsi, la patience révèle pour moi les formes d'une promesse. Voilà pourquoi je mets tant d'espérance dans la patience et que cette espérance devient ma lanterne. Toute espérance apporte un filet de lumière et j'aime croire que je reverrai cet homme remarquable de bonté et d'enthousiasme pour autrui qui, dans l'écoute attentive des textes, a écrit de si belles pages sur Emmanuel Lévinas.

*

Cette patience, je l'ai acquise par l'écriture. Elle s'ouvre davantage et permet de penser que je pourrai un jour concevoir mon travail actuel comme achevé puisqu'il aura vieilli avec moi. Cette idée d'achèvement et non de perfection m'est venue dans l'accompagnement d'une mourante, alors que nous vivions toutes deux abstraites du temps. Je ne crois pas un instant m'être dit : je regarde mourir. Je n'étais pas dans l'arrêt, mais dans la lenteur, la patience que demande l'achèvement dans la dignité et la compassion. Égale patience que demandent les vivants, qui doivent se saisir de cet arrachement pour en faire une force tout autre. La patience est une forme puisque, pour savoir ce qu'est la patience, il faut la traverser.

Peu

La voie du peu.

Peu. Quel beau mot pour parler de poésie ! *Peu* et *âme* ont le même nombre de lettres. *Peu* est un mot sauvé de la peur. Il mène au poème, à son noyau, quelques vers peuvent suffire. Ce travail de réduction, de concentration, qui constitue pour moi une mise en forme de l'intensité, vise la clarté, un instant de paix, un tremblement de la main qui entre dans la chaleur d'un gant.

Il y a dans le mot *peu* une idée de faiblesse, de pauvreté devant laquelle on a des égards, on développe de l'empathie, de la compréhension pour ce qui fait défaut. Et j'aime penser que le poème *réceptif* se reflète sur moi comme sur autrui. Sans cette faiblesse, sans ce manque, sans l'éclair de luciole, sans le tremblement, sans les larmes, sans cette clarté, il n'y aurait pas de poèmes. Ce peu est à l'image de ce que nous sommes devant le ciel, la mort, une cour remplie d'enfants, aussi bien que la mer à marée basse, ou les pommiers en fleurs.

Ce *peu* est là pour faire de nous des êtres reconnaissants. Comme le dit Borges dans ses *Entretiens sur la poésie et la littérature* : « Dans la poésie on reçoit sans cesse des dons très mystérieux et on éprouve de la gratitude. » Quel beau mot que celui de *reconnaissance*, c'est connaître deux fois, connaître pour ne pas oublier, reconnaître et remercier, se souvenir. Voilà comment je me sens par rapport à la poésie, celle qui fait de moi un être libre de penser, d'écrire, d'imaginer, de créer un langage, un rythme, un espace. Celle qui fait de moi à chaque jour un être qui correspond davantage à l'idée que je me fais de l'instant tracé comme d'un instant qui a été accueilli.

À l'intérieur de mon élan existe un mouvement qui ralentit le silence, la chute, un rythme qui a son propre battement. Cette chose étrangement vivante est langage, poésie. J'ai appris qu'à m'approcher de l'inexplicable, d'une joie, d'une désolation, d'une intensité, je me mets en route vers le poème, pour qu'un monde s'ouvre, pour trouver naturellement un centre, et pour que, pendant quelques secondes, je sois sauvée, à l'image de ce jeu de la ligne sur le trottoir qu'enfants nous devions sauter. Si par malheur nous y touchions, nous trépassions. Il m'arrive encore de marcher et de sentir tout au fond de moi un élan et, tout à coup, quelques traits apparaissent dans le vide, des formes abstraites. La ligne du trottoir devient une phrase d'où surgit une apparition, un appartement au troisième étage. À l'intérieur plane une douce lumière orangée.

Pluie

La pluie fine crée des coutures régulières et invisibles sur le monde. Une sorte de trame indolore tissée sur le quotidien mouvant.

J'écris cela, en réalité je devrais déchirer, couper et tuer une fois pour toutes une mouche, une roche, quelque chose. Mais la colère se tient derrière moi, dans mon dos, pour que je regarde la pluie et parle de sa doublure comme d'une étendue de douleur magnifique qui glisse et se dérobe. Pourtant, rien ne peut m'empêcher d'espérer une pluie chaude et douce comme si l'on dénouait un nœud au centre du monde.

Poire

Pendant l'écriture de *Suite pour une robe*, j'achetais des poires Bosc ou des poires rouges et je les disposais soit dans une assiette en pierre, soit dans une très vieille assiette d'étain qui leur donnait davantage d'obscurité, de profondeur. Je n'avais pas besoin de les regarder longuement. Juste de les savoir là me suffisait. La nature morte était si apparente que personne, même pas les enfants, ne songeait à les manger. Puis quelqu'un de la famille se risquait à dire qu'elles étaient toutes noires et qu'il fallait bien les jeter tout en se promettant de les manger la prochaine fois, de ne pas attendre si longtemps. Je ne me souviens pas d'avoir eu mon tour, j'aurais été incapable de les balancer à la poubelle sans avoir l'impression d'y jeter aussi mes yeux.

Près

Je comprends que les peintres passent leur vie à rendre des objets comme des offrandes. Les objets sont nos repères dans l'univers. Ils surgissent et permettent à l'espace d'apparaître, afin que nous nous sentions moins loin de tout. Car l'univers, le vide, tout ce que je ne comprends pas, demeure aussi loin et démesuré. J'ai besoin de construire un espace à ma mesure. Les objets, la couleur, la lumière, la musique, la parole, les voix, le silence, la chaleur, tout cela m'aide à habiter le monde qui m'est donné, à en franchir le quotidien, à en ramener de la fiction.

Vivre plus près du noyau terrestre.

Présence

La poésie permet aux mots de rester flous et imprononçables. Elle accepte des mots qu'ils tombent ou qu'ils se taisent, qu'ils s'échappent du langage, qu'ils décollent et qu'ils traversent des miroirs et des seuils. En poésie, les mots commencent ailleurs, loin des mots. C'est pourquoi on les sent parfois si seuls.

Ces mots deviennent des présences ultrasensibles qui trouent l'espace d'émotions. Un poème peut être une suite d'électrochocs, un cri, un bruissement de feuilles, une traversée lyrique, un pouls qui s'accélère, un sanglot retenu, un hiver froid. Il m'est de plus en plus difficile d'associer la poésie à un genre. La poésie n'est pas un genre, mais l'approfondissement d'une expérience esthétique, humaine, spirituelle, philosophique et physique. Derrière les mots, un mouvement nous tire ailleurs et souvent au plus près de nous, de notre présence. Dans la sensation, la distance – comme la vérité ou l'oubli – se mesure très mal.

*

Chaque matin, lorsque je fais ma toilette, entre dans mes vêtements et range autour de moi, que je regarde à la fenêtre, me refais une infusion pour moi seule, puis m'installe pour écrire, j'ai l'impression d'organiser ma présence. Sans ces gestes, sans ce rythme, je ne sais pas si j'aurais lieu.

Pressentiment

Il y a des mots qui parfois s'avancent, mais ne sont pas encore des mots. Ils viennent comme des pressentiments.

Promenade

Le but de mes promenades a tellement changé. Auparavant, je voulais arriver quelque part, à présent, je désire simplement marcher. Cette attitude vient de l'écriture, je pense. Il en va de même avec les questions, y répondre n'a pas vraiment d'importance. Poser des questions, oui. Et peut-être qu'au moment où l'on interroge on a déjà parcouru un segment de la réponse. Dans *Détruire, dit-elle* de Marguerite Duras, la femme reconnaît que Stein est écrivain à son « acharnement à poser des questions. Pour n'arriver nulle part ». Le propre de l'écrivain est non pas d'arriver mais de quitter et de se quitter.

Quatre

Je me souviens d'une pêche coupée en quatre sur le pupitre du professeur. Je me souviens d'un vrai couteau, d'une vraie assiette à côté des livres et du boulier. Je me souviens aussi des chiffres de velours, sur les cartes d'anniversaire, et d'autres avec des surfaces rugueuses, pleines de petits brillants qui tombent dans l'enveloppe et sur la nappe. Je n'ai pas oublié les joutes de calcul mental et les tables de multiplication qui se braquaient dans ma tête comme ces tables de ping-pong, tout au fond, dans les gymnases.

Des crayons que je mordais en ne cessant de me poser des questions. Qu'est-ce que ça voulait dire, quatre, sinon un noyau séparé de son fruit ? Qu'est-ce que ça disait d'émotions ? Jusqu'où pouvait aller quatre dans ma vie ? Qu'est-ce que ça veut dire, un, deux, trois, quatre, qu'est-ce que cela annonce ? Je peux dire que je m'en faisais beaucoup pour les chiffres. Je les comprenais encore moins sur une horloge ou sur une règle. Pourquoi le temps, fait de douze chiffres, n'avançait-il pas sur une règle de douze pouces ? J'avais parfois du mal à m'endormir avec un quatre qui enflait sur mes poumons.

Rêve

Dans *Avant la fin*, ce testament littéraire, ce legs d'une vie, Ernesto Sábato raconte que, lorsque les gens de son village voulaient être réveillés le lendemain matin, ils disaient, avant d'aller dormir : « Souvenez-vous de moi à six heures. » Sábato souligne qu'il a « toujours été fasciné par ce lien qu'on établissait ainsi entre la mémoire et la continuation de l'existence ».

À la suite de la lecture de ce livre, j'ai fait un rêve d'écrivain, le premier, il me semble. Sur une page couverture bleu marine, presque noire, je peux lire : *Le pas cinématographique. Essai sur le temps.* Dans cette étude, je démontre que l'accélération ou le ralentissement du temps peuvent être ressentis à travers le nombre de pas que franchit un acteur, une actrice pour faire telle ou telle action. Mais, en réalité, dis-je à la fin de toutes ces explications qui semblent plausibles, il s'agit d'une étude sur le deuil. La couverture même, son graphisme, rappelle les inscriptions sur les pierres tombales.

Je ne connais pas de matière plus vivante que celle que les morts suscitent en moi. Parfois, je me demande si les croyants puisent leur foi en la résurrection dans ce que les morts éveillent en eux. À cause de cette force incroyable que déplace le souvenir, ils en viennent à croire à la résurrection. Si le mot *souvenir* remplaçait le mot *résurrection*, serais-je plus près de Dieu ?

Sculpture

> Le premier trou que l'on fait dans un morceau de pierre est une révélation.
>
> Henry Moore

Les trous du sculpteur équivalent aux mots du poète qui percent la page, car il s'agit bien d'une surface, d'une masse ou d'un bloc solide de résistance.

Organiser un poème dans une page s'apparente pour moi au travail du sculpteur et ma recherche de légèreté de ces dernières années tente de s'opposer à ce bloc de tensions, de cellules mortes.

Il est possible de « sculpter l'air », dit Henry Moore. Il m'arrive d'être assise devant un bloc de lumière, de neige ou d'air pur. Dans ces cas-là, je pèse chaque mot pour garder cette lumière, cette neige, ou ce souffle d'air pur, et, à partir de ces éléments, je reconsidère la forme. Le poète, comme ce titre de recueil d'António Ramos Rosa l'illustre si bien, écrit *À la table du vent*, ainsi souffle et se construit un art de l'espace.

Sensibilité

Je considère que ce qui est sensible et nous permet d'agir avec sensibilité relève d'un véritable don. Grâce à quoi nous pouvons approfondir le monde sans faire appel à des connaissances supérieures en nous sentant au plus près de la fibre humaine. Entrer en dialogue ou en silence avec des œuvres, communiquer avec des enfants, des nouveau-nés, des mourants ou des étrangers, lire dans le ciel ou dans les yeux des bêtes, lire de la poésie, voilà bien un pouvoir étrange et merveilleux. La lecture, l'écriture d'un poème, peut-être plus que tout autre objet, fait appel à cette dimension de mon être que j'imagine recouverte ou flottant à l'intérieur d'un tissu de braille par lequel, dans la trouée, je sens, je touche, je vois, j'entends, et me permets d'interpréter, de traduire, d'évoquer, d'imaginer, de devenir sans que mes sens soient anormalement décuplés par une forte émotion et que cette sensation soit occasionnelle. Sensible, je ne le suis pas par instants. Cet état permanent conduit à la réceptivité, à autrui, à l'imaginaire tout comme au dessaisissement.

Septembre

Si notre vie entière nous est utile pour *apprendre à mourir*, il ne faut pas s'étonner de trouver toutes ces morts, ces deuils et ces renaissances dans la poésie, ce langage qui porte le premier souffle. En acceptant l'éphémère, on se sent davantage partie intégrante du monde et on se reconnaît dans la souche aussi bien que dans les mains ouvertes et soyeuses des feuilles. Me liant à ce tout, déjà, je m'ajoute aux autres particules. Je fais partie du brin d'herbe, de la goutte d'eau, du flocon, et le mouvement de création, l'écriture qui vit cet absolu abandon dans les couloirs de ses phrases, n'est qu'une manifestation de ce passage intériorisé de la vie à la mort, tout en restant gardienne du premier souffle.

Seuil

Sans cesse je me retire, je fais de mon être un lieu d'enfouissement et j'ai vu en rêve dormir des oiseaux au fond d'un landau. Le seul mot qui convenait à cet hiéroglyphe était *pietà*, comme si ce lieu atteignait un point de sensibilité avec lequel je pourrais désormais correspondre. Un lieu pour me rassembler, moi et toute cette solitude tombante sur le seuil. Mais existe-t-il un seuil ? J'imagine plutôt une libre circulation entre le dedans et le dehors et l'attention à toute chose en serait le commencement.

Short story

Comme ils sont étranges ces mots qui me font apparaître autre chose. Ainsi les *short stories* deviennent des biscuits pâles et chauds encore mous sous la langue. Un mot qui, à peine mis en bouche, répand un parfum de vanille ou de citron autour du visage et sur les doigts.

Une histoire qu'on raconte debout dans la cuisine, appuyé au comptoir, ou qu'on lit dans l'autobus, quand, entre l'arrêt et la station de métro, on a tout juste le temps d'entrer dans une bulle claire. Une histoire ronde qui rebondit sur la ligne lisse et continue du mot *journée*.

Silence

Il existe des silences plus lourds que le bruit parce qu'ils portent la colère, la peur, le non-dit. D'autres silences s'entendent sans rumeur de fond. Concentrée, je peux percevoir l'intérieur de ce silence, parfois j'y entends la profondeur, le vide tout autour ou la première neige fine tombée. Cette qualité de silence ressemble à l'espace autour d'un poème bien enraciné dans la page. Ce silence importe autant que l'air que nous respirons. Grâce à lui, les mots prennent l'espace dont ils ont besoin, ils se posent, se détendent, apparaissent. Dans une page, je prends tout l'espace qui s'offre à moi. Il se peut que le poème porte un ou trois vers, mais alors l'espace blanc tout autour sera d'autant plus vital et porteur de souffle. La mise en forme de ces blocs de résonance possède sa propre autonomie, son propre langage. Le silence dans un poème est un processus lent, comparable au geste du sculpteur qui travaille la pierre ou toute autre matière solide. Il porte, éclaire l'énigme et conduit le souffle. Une marche, en quelque sorte, pour descendre plus bas.

Solitude

Si le peintre a besoin de recul, de sortir de son œuvre pour voir ce qu'il fait, l'écrivain a besoin de sortir de lui-même pour se substituer à un texte, accepter la somme des transformations, les ratures, les déchirures. L'épreuve dessaisissante de la solitude ouvre le chemin, trace le sillon et crée de nouveaux liens.

Parler seul n'est pas grave, cela n'est rien : par ce trait libre, je me détache de ce que je suis qui ne peut cesser son bruit et qui plie les coins des pages et qui souligne ou écrit dans les marges et qui sans cesse dialogue avec le silence des autres.

*

La solitude permet à l'œuvre de prendre forme dans le silence, la noirceur bleutée d'un repliement sur soi. Laisser passer la voix, laisser passer la lumière, mais aussi laisser passer le silence, voilà vers quoi je tends lorsque je retire ma chaise sous les arbres.

Dans cette phrase, je reconnais le début ensoleillé de l'après-midi, des miettes de pain sur ma jupe, une mouche inventée au fond de la tasse, la somme de toute l'inquiétude contenue dans ce que sans cesse j'efface et qui crée un bourdonnement, une tension infinie.

En vérité, cet après-midi, le calme n'existe ni sous les arbres ni dans la lumière. J'aimerais tant cette nuit que le poids du duvet soit mon repos.

Sommeil

Parfois, lorsque vient le sommeil, mon corps s'en va léger comme un pneumatique couvert d'étincelles dans un après-midi de juillet.

Ma chambre devient alors une vaste couverture dans laquelle j'entends la fin des vagues et le commencement du monde.

Songe

Le mot *songe* est une clairière. Le début et presque la fin de l'œuvre d'Anne Hébert. C'est un mot où j'aime aller seule. Dans cette éclaircie, le monde se desserre de son étau, les visages se reposent et s'ouvrent à l'étendue de la rêverie, au langage muet et à sa nonchalante gestuelle d'été.

Le songe habille l'être de ralentissements et de pluie fine. Sa solitude est possédée de transparence et d'élans.

Souffle

Chaque poème nouveau naît du tout premier souffle, tant le flot, le mouvement vient de très loin dans ma conscience, gardienne de cette lumière et de cette énergie depuis la grotte, depuis la boue et l'étincelle.

Sous-bois

Le sous-bois agit comme un atelier : en enlevant les branches mortes, en ramassant les feuilles, en créant de nouveaux sentiers, en déplaçant des pierres, en écoutant cette langue extraordinaire de bruissements et de chants d'oiseaux, je retrouve des lignes d'appui comme dans ces pierres vertes qui surgissent de dessous les feuilles et ces branches qui s'élancent vers la lumière.

J'ai éprouvé déjà la même chose au bord de la mer, en Bretagne, devant la variété des formes que dégage la mer à marée basse, rochers, coquillages, galets, algues, tracés de pas, marques de vers de sable, mais dans un espace démesuré et entièrement ouvert, alors que le sous-bois se prête au repliement. On s'y sent sous surveillance constante du feuillage.

Stèle

Il n'est pas rare de voir en page couverture de rétrospectives poétiques des dates marquant les bornes d'une œuvre. Mais quand, au titre des recueils ou à la fin d'un récit, des dates s'échelonnent sur une moins longue période, par exemple 1960-1964, 1976-1981, ou 1996-1997, je ne peux m'empêcher de penser à un tombeau ou à la mort d'un enfant. J'ai beau imaginer que cet écrivain a mis trois ans à écrire son recueil, à composer son récit ou à rassembler des textes, je n'y crois pas. Dans presque tous les cas, à lire l'œuvre, on voit qu'il s'agit d'une célébration funèbre et, parfois, d'une adresse à un enfant, à son souvenir, à son ombre, à sa perte.

Tableau

Peut-on voir une relation de désir entre le tableau et le poète ?

*

Les tableaux sont-ils les miroirs des poètes, renvoyant une image idéale, une perfection à atteindre ?

*

La peine, la douleur d'origine, se traduirait-elle, se cristalliserait-elle au cœur des tableaux afin de ne pas perdre, de ne plus échapper à ce qui devient objet de création et de désir ?

*

Le cadre d'une fenêtre, d'un mur, d'un tableau ou d'un miroir ne sert-il pas à cela, en offrant une double possibilité, celle de retenir, celle de s'évader ?

*

Faut-il voir le tableau comme archétype ? Un lieu propice à faire éclore le poème, à le mettre en scène. Est-ce une traduction de l'acte créateur, de l'expérience poétique ?

*

Le choix d'un tableau dans une œuvre serait-il pour l'écrivain une manière de dire la forme esthétique qu'il privilégie ?

Tapisserie

Adolescente, je lisais dans l'autobus du Joë Bousquet sans savoir vraiment ce que je lisais parce que les mots forment des surfaces, des couches successives de surfaces. Je tenais le livre ouvert devant moi et j'étais en train d'écrire ! Derrière les mots de Joë Bousquet, il y avait moi écrivant tout dans ma tête. Des années à lire, lire, lire, à tapisser mon être de dialogues, de lettres non envoyées, de poèmes qu'il m'arrivait parfois d'écrire sur le revers des couvertures et d'effacer par la suite.

*

Même sensation quelques années plus tard devant *La Dame à la licorne.* Où suis-je pendant que je regarde, derrière quel arbre me suis-je encore enfuie pour écrire ?

TORTUE

Le sens que Maître Eckhart donne à la prière : être la forme la plus près de Dieu. D'où que je parle présentement, je touche toujours à un pilier d'une crypte sacrée à l'intérieur de laquelle l'écriture prend la forme d'une prière ouverte, accueillante et libre.

Est-ce le cheminement littéraire, la succession de deuils, le barbarisme de cette fin de siècle ou le fait d'affronter le doute chaque jour et d'en être si souvent désemparée qui me rapproche du monde des croyants ?

Même ce bleu de Delft pour lequel j'ai d'autres vues revêt un caractère sacré. La poésie, celle du murmure, du balbutiement, enfin celle du chant, me semble le lieu qui convient pour mener une réflexion spirituelle à l'écart.

Enfant, avant de dormir, je déposais sur l'oreiller blanc une prière formulée dans mes mots. Longtemps, j'ai imaginé les prières comme des tortues qui n'arriveraient jamais jusqu'à Dieu. J'ai passé de la prière à la poésie sans difficulté.

*

Les mains jointes, je retiens l'invisible.

Tournesol

Je ne sais pas pourquoi, chaque fois qu'un poète meurt, je me sens directement appelée à encore plus de recueillement. J'ai éprouvé cela, une fois de plus, en apprenant le décès de Geneviève Amyot. Lorsqu'un poète meurt, on perd des sentiers, comme si, en plus des lignes de vie qui s'effacent, les mains emportaient les poèmes à venir. On sent davantage l'arrêt de la respiration.

Aujourd'hui, j'ai semé des graines de tournesol et j'ai placé le livre *Je t'écrirai encore demain* sur le recueil *Arbres en hiver* de Sylvia Plath. Ainsi, je vis avec la poésie et les disparus.

Trait

Un vers vibre au même titre qu'une couleur, qu'un trait de craie. Il existe des traits qui sont de véritables balbutiements, d'autres de purs frissons ou des vertiges. Certains glissent, d'autres tombent ou descendent comme la lumière. La rencontre des arts se fait ici dans l'expérience intériorisée et intuitive que j'éprouve des œuvres d'artistes, de la voix chantée ou de la musique.

Les sensations devraient nourrir soit le texte du poème, soit la manière de s'en approcher, de le faire bouger : il s'agit d'une même façon de s'ouvrir au monde, de l'absorber et d'en être atteint. Il s'agit de la même présence, du même accompagnement lié à cette sensation d'être. Un artiste qui travaille avec un pinceau ou un fusain, l'huile ou l'acrylique, ne travaille pas à la même vitesse. Il en va de même pour le souffle de l'écriture, qui éprouve à mesure la sensation qui se vit pleinement de l'intérieur et dont se dégagent les lignes de force comme dans un arbre. Ces poses, ces accélérations, ces blancs, ces petites secousses, ces martèlements du sang aux tempes, cette veine qui tremble devraient nécessairement agir sur la forme.

Bram van Velde

> Quand je vais vers la toile, je vais vers le silence.
>
> Bram van Velde

« Si je peignais, dis-je à un peintre, j'irais vers l'abstraction. » Spontanément, j'ajoute que je ressens bien le geste de Bram van Velde. Cette géométrie qui ruisselle me touche car elle s'oppose au caractère glacé de la géométrie. La peinture chez Bram van Velde entre en elle-même. Une fois admis dans le tableau, on ne peut plus en sortir, retenu par des formes de plus en plus concentrées, tels des noyaux. Suivre ce mouvement qui va d'un infiniment petit vers un infiniment grand et d'un infiniment grand vers un infiniment petit, c'est faire l'expérience de la surface de la façon la plus entière. Il y a peu d'espaces vides chez Bram van Velde. Voilà pourquoi son trait plein et opaque, dont le ruissellement semble tout juste commencer, me compléterait. Je ne connais rien du silence des dégoulinures, il n'y a pas ce laisser-aller de la matière dans l'écriture. Un mot sur une ligne et déjà une construction s'amorce.

Il y a plus de jours, dans une année, où je n'écris pas, où j'intériorise jusqu'à sentir le mouvement des choses avec une telle acuité qu'il me semble que je pourrais les peindre, les détacher d'elles-mêmes et les rendre à l'abstraction. Mais si j'entre dans le trait opaque, vais-je pouvoir en sortir ? Certains jours, l'idée d'être possédée par la couleur, que la couleur soit autant dans ma tête que sur mes mains, mes vêtements, mes pieds, m'inquiète. D'autres jours, je pense à la peinture comme à une autre langue que j'apprendrais à parler. Voilà, je pense, la véritable raison qui m'empêche de m'y essayer. Ma propre langue prend de plus en plus de place et, à chaque fois que j'ouvre un recueil de poèmes, j'approche une nouvelle langue. Les poètes sont polyglottes. Avec le temps, la peinture devient une pensée intériorisée, une dégoulinure sans fin, et peut-être qu'en ne peignant pas j'entretiens le mouvement d'une autre pensée, d'un autre silence en parallèle avec le mien. Dans cet inachèvement et par cette absence, quelque chose d'autre s'invente.

Faire des phrases, des paragraphes, ordonner, structurer une pensée me permet d'éviter l'écroulement devant la douleur, l'horrible, la perte, aussi bien que devant l'intensité d'un bonheur. La peinture ne montrerait rien que cette sensation d'écroulement et de perte, son noyau d'intensité. Le geste de peindre est si près de la sensation que je ne peux qu'imaginer la peinture comme une parole clairvoyante. Au même titre que la poésie. La peinture sait tout ce que je ne sais pas de moi-même. Le simple fait d'écrire sur la peinture met à l'intérieur de moi un autre cœur en marche. Cette présence est si juste que je dois m'arrêter et faire autre chose, détourner ma pensée de ce mystère. Mon Dieu, combien sommes-nous ?

Variation

Comme je désire examiner une idée sous toutes les facettes possibles, elle doit pour cela réapparaître. Je nomme ce processus la traversée du tunnel. Imaginons que la pensée, emportant une image, un mot, une idée, s'absente dans un tunnel, le temps de le parcourir pour réapparaître à la lumière, encore tout imprégnée de ce passage de l'obscurité au jour. Le temps a avancé entre le point de départ et l'arrivée. Chaque déplacement transforme l'objet. Ainsi, ce qui nous semble familier devient soudainement autre. Toutes ces traversées développent un réseau infini. Lorsqu'on s'abandonne à sa nécessité, la matérialité de l'œuvre ne peut que produire des variations.

La musique, avec ses structures circulaires, m'a certainement enseigné la forme spiralée. Il y a des trajets en poésie comme à l'intérieur d'une sonate.

Vent

Je reçois de la poésie le don de me perdre dans un continent intérieur. De partir au vent.

Véranda

J'ai toujours trouvé beau de marcher, les soirs d'été, le long de cette petite route du bord de l'eau et d'entendre s'échapper les voix des vérandas. Souvent, je commence un livre en repassant par ce chemin, sauf qu'arrivée en haut de la route je ne change pas de côté, je ne reviens pas à la maison, pas tout de suite. Je traverse, je continue dans un autre rang, celui de la tricoteuse. Les voix bougent dans mon dos comme des taches de soleil sur une nappe. Tout cela est si fragile et ressemblera bientôt au tintement d'un verre sur un autre. Je n'entendrai plus rien de la dernière moustiquaire, de cette colonne de rires qui semblait venir des cartes à jouer, mais il est rare que je perçoive ce moment de vide où le bruit cesse. Généralement, au moment de la traversée, je m'aperçois qu'une autre voix s'est mise en route et la voilà qui m'entraîne.

Parfois, je reviens chez moi avec le ton d'une lettre, le rythme d'une page ou une image. Parfois avec une joie, parfois avec le mouvement régulier de mes pas et des plis sur le lac avec lesquels je tisse des liens. Je marche avec des vérandas allumées et joyeuses, d'autres éteintes, dont les berceuses et les ampoules qui pendent du plafond bougent seules dans la nuit au beau milieu des étoiles.

Verger

Outre le seul recueil écrit par Rilke en français et de très belles pages sombres et obstinées d'Eugène Savitzkaya dans *Mentir*, le mot *verger* rassemble le bien-être d'une fin d'avant-midi que j'aurais prolongée et où j'aurais volontiers improvisé une sieste sous un arbre avec ma petite fille. Avec elle, pour la première fois, je suis entrée dans un verger en m'y sentant entourée. Heureuse, légère, d'une complétude inouïe, voilà comment je me sentais au beau milieu de tant d'arbres généreux. Nous partagions le même élan, le même bonheur, le pur plaisir de grimper dans une échelle pour cueillir une pomme comme si elle eût été une étoile.

Une sieste, oui, fermer les yeux le plus loin possible pour retenir ces sensations juste au bord du sommeil, du rêve, près du bonheur, afin qu'elles ne m'échappent pas, et parler plus tard, bien plus tard, de l'échelle, du large panier de jonc, de la petite main ouverte comme une feuille sur la pomme, une tache de lumière pleine de douceur venue se poser sur le rouge comme sur un éclat d'univers.

VERT

Je garde peu de plantes dans ma maison et je considère que je ne possède rien en grand nombre. Si les livres semblent plus nombreux, c'est qu'on les retrouve dans chaque pièce et que s'asseoir équivaut à prendre un livre dans ses mains ou à regarder par la fenêtre. J'aime suivre le ciel, comme j'aime que ma main trouve l'écharpe qu'elle cherche et qu'un seul bracelet s'use à mon poignet. Je garde les mots *plante*, *écharpe* ou *bijoux* pour mes yeux quand ils se ferment. Alors, je vois du vert à l'infini, des feuilles larges, ouvertes comme de nouveaux chemins, la fourrure grise des cactus ou des fleurs en boutons au-dessus de minuscules taches vertes. Devant tant de verdure, feuilles, tiges, lianes, l'esprit trace ses allées de tranquillité. Dès lors, le vert devient une respiration paisible. L'absence des plantes m'y conduit.

VERTICALE

> On croyait s'éloigner et on se trouve à la verticale de soi-même.
>
> MICHEL FOUCAULT

L'essai propose à la fois l'épreuve, la tentative et l'effort, l'exploration et la découverte, juste assez de flânerie pour être disponible, à l'écoute et curieux. Tant de possibilités puisque, dans chaque trait, se vit un lent processus de transformation, une sorte de voyage initiatique, comme s'il y avait un lieu dans l'écriture où l'on peut errer, les mains dans les poches, ou creuser, raturer, chercher, recommencer, avoir droit d'une certaine manière à plus que son dictionnaire, à son atelier et à soi-même comme forme, épreuve, matière. Enfin, je retrouve le plaisir de l'autodidacte.

Lieu de pensée, mais aussi lieu de rencontres, de croisements, où la poésie entretient des liens privilégiés avec l'autobiographie et sa réinvention, avec les idées, les questionnements, les arts, un lieu qui permet la stratification et qui démontre à quel point notre pensée opère par plis, tâtonnements et resserrements.

L'atelier et l'essai vont de pair. Si la poésie semble une forme pure de création, l'essai, par son ouverture et son accueil, peut conduire à cette expression. Dès lors, il n'est pas étonnant de retrouver certains mots en chemin vers le poème ou déjà marqués de ce trait vertical qui s'échappe par d'autres sentiers.

Je laisse courir, je ne retiens rien, je veux savoir où cette liberté conduit. Et j'entends encore Alberto Giacometti : « Les essais, c'est tout. Oh merveille ! » Quelle belle avancée dans cet émerveillement ! Il me semble que je pousse alors les volets d'une demeure profonde et que le monde soudainement s'emplit d'une seconde de plus.

VERTIGE

Quand, dans la vitesse des trains, les routes fuient, les ponts disparaissent, les arbres reculent et les bras, les mains cessent, il m'arrive alors d'avoir le vertige de la terre. De rêver à mon lit. Ce caillou sur la table réduit l'éparpillement au sein de la disparition. Le mot *table* me redonne l'objet.

VÉTIVER

Vétiver, ce mot qui renvoie au titre du recueil de poèmes de Joël Des Rosiers, m'est devenu par son appel une présence. Car nous attendons, lecteurs, que le mot réapparaisse dans la page.

Offert comme un encens rare et précieux d'une nuit immémoriale, non pas dans son parfum mais dans son essence, il rejoint les langes, le tissu originaire, celui des livres et celui de la blessure, il enveloppe le poète dans une *douce violence*. Une fois le cycle installé, épris du son clair du vétiver, nous aimerions que le mot nous suive dans les autres livres que nous lisons. C'est dire l'attachement, l'apprentissage de l'attachement, la liaison qui œuvre auprès du lecteur comme tout créateur se lie à son objet. À l'instar de la dédicace qui, dans la troisième partie, se formule comme une demande d'amour, se trament des liens aussi forts entre le lecteur et l'œuvre. Je ne peux que rapprocher certains effets de *Vétiver*, dont la présence de la servante Vaïna, son rôle créateur, de *La demande* de Michèle Desbordes.

Grâce à un seul mot, objet de désir, objet d'écriture, nous renouons avec notre amour des vocables, avec tout ce qu'ils soulèvent en nous. Pour moi le mot *vétiver* produit une clarté, une amplitude des sens, une douceur que l'on retrouve en certains lieux intérieurs ou en certains plis, certaines courbures sereines du monde, hautes herbes, feuilles mouillées, eau de pluie, qui respirent à travers nous et libèrent le souvenir, un trait de mélancolie. Il ne fait pas de doute qu'un mot qui a été ressenti par tout le corps, qui a traversé la douleur et la séparation, et qui possède aussi le pouvoir de recouvrir pour ensevelir et recommencer, comme « une naissance miraculeuse le couvrirait des fleurs blanches du vétiver », il ne fait pas de doute que ce mot atteint la sérénité, qu'il œuvre pour la paix. Car le pouvoir de *Vétiver* – la promesse de ses miracles ou de sa rédemption – est de transformer et de transfigurer, comme tout amour véritable, comme l'art et la création, tel qu'il est dit par le poète, *vu qu'on ne renonce pas aux œuvres d'art*.

VIDE

Pour beaucoup de créateurs, les périodes dites de vide sont insupportables, voire angoissantes. Pourtant, à l'intérieur de ces périodes indispensables à l'éclosion d'une œuvre, la pensée s'active et ne cesse de se transformer. Là où le souffle créateur lentement se recharge, là où tout devient possible, même si nous devenons peu de chose par rapport à la grandeur du vide dans lequel nous plongeons. D'un livre à l'autre, j'ai de plus en plus besoin de temps sans écrire, à me laisser travailler par mon projet. Être là, sentir, me mettre en état de réceptivité, laisser les mouvements de la pensée s'extraire de ce véritable chaos qu'est l'absorption de tout ce que j'ai vu, entendu, écouté, lu, demande du temps. Cette éclaircie s'opère dans ces avancées rituelles en moi, tout comme ces longues promenades que je fais à présent dans la campagne. Comme si, par ces allers-retours, en mettant un pas devant l'autre, j'effaçais. Une page blanche n'est donc jamais blanche mais effacée. Ces périodes vides constituent pour moi d'intenses étapes de création et, si je les entretiens le plus longtemps possible avant de jeter sur le papier le premier mot qui entraînera les autres, c'est que la sensation de liberté y est le plus forte et les mouvements de pensée le plus fluides. J'arrive à m'exprimer clairement, les images aussi bien que les idées ne me font pas défaut et cet état de grâce qui me touche vous toucherait évidemment. Que de contes et de lettres, de dialogues graves et lumineux me suis-je ainsi racontés et vous ai-je ainsi adressés. Que d'années passées à écrire dans ma tête, à écouter votre voix entendue dans un café, un autobus, au coin de la rue ou à la radio, et à continuer de l'entendre juste pour moi dans l'épaisseur du papier. Que d'années d'écriture intérieure pour arriver à écrire plus près de la source et faire en sorte que la pensée et les mots écrits ne fassent qu'un seul et même trait continu. Seule la poésie arrive à saisir ce mouvement furtif. Peut-être parce qu'il est plus vif, qu'il surgit, qu'il se détache, qu'il apparaît au milieu de cette vaste plaine qu'est la pensée. Peut-être parce qu'un poème a besoin d'être accompagné. Si je trouve parfois le ton comme je l'entends dans ma tête, la pensée, elle, va encore beaucoup trop vite et je dois faire des sauts, des bonds dans la plaine pour attraper la suite. Parfois, je me couche sur le dos et des centaines de lucioles s'allument et s'éteignent dans mon esprit. Je deviens une nuit chaude de juillet, mes mains sont brûlantes et, dans ce noir piqué de constellations, je me rapproche de vous, lentement je quitte la bordure du vide. Je cherche un crayon près de mon lit. Je n'essaie même pas d'allumer la lampe de peur d'effrayer, de voir disparaître ce qui arrive vers moi.

Comme essayiste, je rêve encore d'une pensée dont la vitesse serait en accord avec mon écriture. Peut-être cela prend-il le mûrissement d'une œuvre, peut-être aussi que le caractère d'une écriture se dépeint par ses accidents, ses séismes, ses tremblements, ses sauts, ses bercements ou ses repliements et qu'à cause de ces failles, ces flous, ces chutes ou ces rebondissements, l'écriture vit et traduit l'essentiel des avancées de la pensée. Le reste, une fine poussière d'étoiles retombant sur le vide.

Violoncelle

Il m'arrive de descendre à la cave et d'oublier ce que je suis venue chercher. Une lente mélancolie tombe sur les boîtes vides et les journaux. Je remonte légère.

Vision

La baigneuse, le nageur, la rêveuse, le dormeur, la promeneuse, le marcheur, la passante, le voyageur, qui sont ces êtres errants, pourtant résidants de l'univers poétique ? Plus que des personnages qui traversent le paysage, la nuit, la désolation, ils sont les destinataires de la pensée, de l'insondable. Celui ou celle par qui le pas, le flot, le mouvement arrive. Ces êtres portent la marque du souffle et de l'errance et couvrent tous les territoires de la poésie. Passeurs de songes, de chants, de souffle, de visions, ils veillent depuis les premières nocturnales aux avancées du poème, à son rayonnement. Le poème est souffle et, même s'il change continuellement de forme, il revient sans cesse à son origine par le fait même qu'il erre dans la langue. Ainsi jamais fixé, il avance, avec cette possibilité de revenir à l'origine et de reprendre ce qu'il a pu perdre.

Le poète, tout à l'écoute, qui se trouve seul en train d'écrire, n'est-il pas privé de sa voix comme le nageur, la rêveuse ou le dormeur ? Ne s'opère-t-il pas en lui un effet de miroir ? Ne s'agit-il pas de la même rêverie, du même essoufflement, du même rythme ou de la même forme répétée de la nage ou du pas ?

Ces êtres qui rituellement initiés traversent la nuit et reviennent avec la lumière, le pardon, la blessure et tout le fleuve gris qui dans la maison silencieuse s'écoule, ne sont-ils pas eux-mêmes des poètes, des voyants qui, dans le monde, se révèlent ? Même marchant toujours plus au nord, ils ne quittent jamais les territoires de l'imaginaire dans lesquels ils s'engagent à veiller tels des anges dont ils détiennent les sortilèges et les secrets.

Mais, contrairement à l'ange mythique qui surgit, rôde et se lie à une image de perfection doublée d'un engagement spirituel, aujourd'hui l'ange et le nageur portent l'oiseau sur l'épaule.

VIVANT

Ma capacité d'accueillir l'instant comme si je venais de recevoir un choc, et de faire de ce choc une empreinte qui devienne écriture, me permet du même coup de devenir l'émettrice de cette énergie. Quand je me lis à haute voix, j'ai vraiment la sensation de ramener mon matériau à son commencement et de le remettre au monde avec du vivant. À chaque fois qu'on lit un poème à haute voix, on le réanime.

VIVANTE

Au retour d'une tournée de lectures en Ontario, je me dis que, partout où je vais, je reçois tant de générosité et d'affection que je me sens accompagnée, protégée d'une certaine manière par tous ces disparus que j'ai perdus en si peu d'années et qui avaient tant de tendresse pour moi. Le nom de Cécile revient donc et, cette fois, ma fille, forte de ses quatre ans, me lance : « Mais peut-être qu'elle n'est pas morte ! »

Cette part vivante des morts que nous entretenons comme une longue et belle amitié qui commence, marquant ainsi la fin d'un deuil, me permet de poser cette question : pourquoi n'accepterions-nous pas d'être comme des enfants devant la mort comme devant la foi ?

Voix

Il y aura des arbres et peu de majuscules. Des rivières et des noms, ma robe dans une vague de neige, d'autres langues étrangères et ma voix toute proche les appelant.

LECTURES ET NOTES

Jorge Luis Borges, *Entretiens sur la poésie et la littérature* (Gallimard, 1990).

Michèle Desbordes, *La demande* (Verdier, 1998).

Joël Des Rosiers, *Vétiver* (Triptyque, 1999).

Emily Dickinson, *Quatrains et autres poèmes brefs* (Poésie/Gallimard, 2000).

Alexandre Hollan, *Je suis ce que je vois* (Le temps qu'il fait, 1997). J'invite aussi les lecteurs à lire l'ouvrage d'Yves Bonnefoy *La journée d'Alexandre Hollan* (Le temps qu'il fait, 1995). Et, plus que dans un même esprit de thématique, je mets à côté de ces deux ouvrages *La promenade sous les arbres* de Philippe Jaccottet (La Bibliothèque des arts, 1988 et 1996), dont le titre à lui seul tient une promesse de clarté.

Josée Lambert (OUBLI)

Extrait d'un hommage rendu à la photographe Josée Lambert lors de la remise du prix de l'Artiste pour la paix 1999.

Jean-Michel Maulpoix, *La voix d'Orphée* (1989), repris sous le titre *Du lyrisme* (José Corti, 2000).

Henry Moore, *Notes sur la sculpture* (L'Échoppe, 1990).

PEU

Extrait du texte lu lors d'une table ronde autour de la question « Que peut la poésie aujourd'hui ? » au collège Marie de France, au printemps 1999.

Jacques Poulin, *Volskswagen Blues*, Québec Amérique, 1984.

Bohuslav Reynek

Sylvie Germain, *Bohuslav Reynek à Petrkov. Un nomade en sa demeure* (Christian Pirot éditeur, 1998).

Leonard Rosmarin, *Emmanuel Lévinas, humaniste de l'autre homme* (Éditions du GREF, 1991).

Van Gogh

Le traducteur et écrivain Georges-Arthur Goldschmidt, dans *La matière de l'écriture* (Circé, 1997), raconte comment, avec Gérard Genette et Jean Pierre Rousselet, il alla dégager les pierres tombales des deux frères, complètement recouvertes de lierre. Comme si ce geste d'exhumation de l'arbuste permettait à Van Gogh de se continuer, la phrase suivante s'ouvrant sur les couleurs du ciel, la vallée de l'Oise et les champs. Comme si, à présent, Van Gogh pouvait encore regarder.

VIVANTE

En novembre 2000, dans trois universités de la région de Toronto, j'ai lu pour la première fois des extraits de *Bleu de Delft*. Ainsi, un chaleureux public d'étudiants et de professeurs habite à présent les pages de cet essai.

DOSSIER

RÉCEPTION CRITIQUE

Dans *Bleu de Delft,* Louise Warren défile les titres de ses éclats de pensée, voluptueux et profonds, comme les entrées d'un dictionnaire. *A* comme arbres – « les arbres ont de la lenteur à donner », écrit-elle, citant Alexandre Hollan –, O comme oubli ou *T* comme tortue – « longtemps, j'ai imaginé les prières comme des tortues qui n'arriveraient jamais jusqu'à Dieu ». À travers cet abécédaire, Louise Warren visite assidûment les œuvres de Jacques Poulin, *Volkswagen Blues*, de Michèle Desbordes, *La demande*, ou de Joël Des Rosiers, *Vétiver*. Le tout sur fond bleu, bleu faïence ou bleu ciel.

CAROLINE MONTPETIT
Le Devoir, 2001

Bleu de Delft. Archives de solitude, de Louise Warren, poursuit là où s'arrêtait *Interroger l'intensité* (Trois, 1999). On ne peut parler d'un retour mais sûrement d'un trajet qui fait écho à une démarche qui se situe en parallèle à l'expérience de *Suite pour une robe* (l'Hexagone, 1999). Ce livre avance dans les marges du poème. On passe de l'aphorisme à l'anecdote quotidienne, d'une remarque sur l'écriture à une observation judicieuse à propos de l'œuvre d'un artiste actuel. La parole se glisse à l'intérieur de ce lent processus qui donnera naissance à un apprentissage de la liberté créatrice. Cette prose flâne dans l'atelier de l'écrivaine. Elle retrouve la matière véritable de la parole, au fil des lectures à voix basse de Garneau, Hollan, Ramos Rosa, Celan et Des Rosiers. Elle use les mots qui se succèdent dans une sorte d'attachement amoureux. L'émotion, le vertige, tout comme le doute, ne quittent jamais ces pages, où Warren tente de comprendre ce qui rend possible l'éclosion du poétique. Elle s'intéresse aux circonstances, à la lenteur, mais aussi à cette quête qui recommence au début de chaque livre.

On ne parlera pas ici de collage savant ou de journal trafiqué. Ces archives de solitude font entendre une musique beaucoup plus subtile. Le temps de la prose imbibe cette écriture où les jours passent à travers ce lent processus de transformation. Une phrase retient tout ce qui sépare la tension et la patience du dire. Ainsi, « ce don des livres, de l'œuvre d'art ou de ces présences organiques s'apparente à un geste d'écoute, comme celui de tenir le pouls, le battement, le tremblement ». Cet essai sur la durée interminable de l'apprentissage ose s'égarer, rompre une tentative, revenir en arrière sur une découverte ou simplement répondre à l'immédiat. Chez Warren, *Bleu de Delft*, où règne la transparence, s'apparente à un réel passage dans son travail de poète.

David Cantin
Le Devoir, 2001

Le livre réunit un certain nombre de réflexions très libres dans une forme qui rappelle Montaigne plutôt que Descartes. Montaigne est d'ailleurs convoqué dans les premières pages et, dans les dernières, on trouve cette description du genre qui pourrait s'appliquer à la pratique des *Essais* : « un lieu dans l'écriture où l'on peut errer, les mains dans les poches, ou creuser, raturer, chercher, recommencer, avoir droit d'une certaine manière à plus que son dictionnaire, à son atelier et à soi-même comme forme, épreuve, matière ». Les parties, tantôt très brèves, tantôt développées en quelques pages, sont disposées selon l'ordre alphabétique des titres, ce qui souligne l'arbitraire de l'ordonnance, moins pour ironiser sur l'ordre, comme c'est le cas dans les écrits tardifs de Roland Barthes par exemple, que pour faire valoir l'ouverture créée par des rapprochements gratuits (mais ils ne le sont pas toujours, car Louise Warren joue parfois subtilement avec la contiguïté de certaines parties). L'ensemble est à la fois simple et riche, dans une tonalité sereine, proche des romans de Jacques Poulin, à qui Warren consacre de très belles pages, méditant sur la présence de Van Gogh et de son frère, notamment dans *Volkswagen Blues*. Plusieurs autres œuvres sont commentées, comme celle de Saint-Denys Garneau ; les motifs de l'écriture de Warren en rappellent d'ailleurs souvent le versant clair.

François Dumont
Voix et images, 2001

Interrogatoire des formes, entre esthétique, philosophie et mystique. La réflexion poétique de Louise Warren ne se confine jamais cependant au seul espace conceptuel, à l'exclusive visée théorique. Sans cesse, la pensée s'informe de la présence matérielle des choses, elle s'irrigue de leur contemplation passionnée. L'idée ne se dissocie pas de l'affect qui lui insuffle sa portée, sa voix [...].

Ainsi s'atteint l'équilibre rêvé entre structure et substance, entre forme et sens. Pour Louise Warren – comme pour Vincent Van Gogh et Jacques Poulin qu'elle apparente et dont elle commente le « travail » avec un remarquable brio analytique –, le poème (l'œuvre) retrouve son sens premier de « faire ».

Paul Chanel Malenfant
Spirale, 2001

Bleu de Delft de Louise Warren est un atelier de solitude où reprendre son souffle, où retrouver son propre silence. L'écriture qui nous y accueille, par son amitié et sa transparence, par son calme et sa patience, redonne au temps que nous pensions perdu toute sa force de transformation, de transfiguration. « Il y a des mots, écrit Louise Warren, qui parfois s'avancent, mais ne sont pas encore des mots. Ils viennent comme des pressentiments. » *Bleu de Delft* est un livre qui nous amène sans contrainte aux seuils où se trament et s'accomplissent les métamorphoses.

ÉMILE OLLIVIER (président),
SUZANNE JACOB ET JEAN ROYER
Jury du prix Victor-Barbeau de l'essai 2002
Académie des lettres du Québec

CHRONOLOGIE

1956	Naissance à Montréal le 21 mars.
1977-1984	Autour de la LITTÉRATURE JEUNESSE. Trois stages en France avec l'Office franco-québécois pour la jeunesse. Stagiaire, puis chargée de projet. Poste de coordonnatrice à Communication-Jeunesse. Charges de cours à l'Université du Québec à Montréal et à l'Université McGill. Essais, articles critiques et conférences sur la littérature jeunesse. Publication d'un conte pour enfants, *Histoire du lion à six pattes*, aux Éditions du Sorbier (1984).
1979-1980	Premiers grands VOYAGES. Irak, Syrie, Algérie. Ils marqueront l'écriture.
1984	PREMIÈRES PUBLICATIONS DE POÉSIE. Publication des premiers textes de fiction dans *Dérives* et *La Nouvelle Barre du jour*. Premier titre de poésie : *L'amant gris*, aux Éditions Triptyque.
1987-1994	Autour de LÉONISE VALOIS.

Léonise Valois a été la première Québécoise à publier un recueil de poésie, en 1910, et est l'arrière-grand-tante de Louise Warren.

Constitution du Fonds Léonise-Valois.

Publication de *Léonise Valois, femme de lettres. Un portrait* (1993).

Conservatrice invitée de l'exposition *Léonise Valois, femme de lettres. Une rencontre*, au Musée régional de Vaudreuil-Soulanges (du 6 juillet au 6 novembre 1994).

Conférence et organisation d'une soirée de poésie au musée, *Cinq voix, dix écritures de femmes.*

1991	Participation à la Nuit de la poésie 1991, à l'Université du Québec à Montréal.
	Première mise en nomination en poésie, pour le recueil *Notes et paysages* au prix Émile-Nelligan. Entre 1991 et 2003, onze mentions ont été accordées aux livres de poésie et aux essais de Louise Warren, entre autres pour le prix de poésie du Gouverneur général du Canada, le Grand Prix du Festival international de la poésie de Trois-Rivières et le prix Alain-Grandbois de l'Académie des lettres du Québec.
1995	Maîtrise en études littéraires à l'Université du Québec à Montréal.
1999-2000	Deuxième prix de poésie, puis premier prix aux Grands Prix de la Société Radio-Canada.
1999-2006	Autour des ARTS VISUELS.
	Publication en 1999 d'un premier essai consacré à la création, *Interroger l'inten-*

	sité, dont la deuxième partie « Ateliers » regroupe des textes antérieurs et récents. Louise Warren a écrit sur le travail de plus d'une dizaine d'artistes actuels, montréalais et européens. Elle a collaboré avec des artistes pour divers projets, ses poèmes étant intégrés à des œuvres. Préparation de *La poésie mémoire de l'art*, anthologie de la poésie québécoise présentant des liens avec les arts visuels (publiée aux éditions Art Le Sabord en 2003). Plus de cinquante poètes y sont cités.
1999-2005	Participation à des FESTIVALS INTERNATIONAUX DE POÉSIE. Québec (Trois-Rivières, 1999, 2000, 2005). Colombie (Medellín, 2002, et Cartagena de Indias, 2003, 2004). France (Festival franco-anglais de poésie, Paris, 2004). Venezuela (Caracas, 2004). Nouvelle-Zélande (Wellington, 2004). Belgique (Namur, 2005).
2000	Participation à une tournée canadienne d'écrivains dans trois universités de la région de Toronto, Brock University, University of Guelf et The University of Western Ontario.
2001-2004	Autour du BLEU. Publication de *Bleu de Delft. Archives de solitude*, 2001 (essai). Finaliste du prix Victor-Barbeau de l'essai 2002 de l'Académie des lettres du Québec. Publication de *La pratique du bleu*, 2002 (poésie).

Publication du texte « Bleu inédit » dans la revue en ligne *remue.net, littérature* (France), 2004 (essai).

Participation à la Fête du livre de Bron (Lyon), sous le thème du « Bleu ». Lecture suivie d'un entretien conduit par Nicolas Charlet, historien de l'art, mars 2004.

2001-2006 Autour de l'œuvre d'ALEXANDRE HOLLAN.

Publication de l'article « Arbres » dans l'essai *Bleu de Delft. Archives de solitude* (2001).

Publication du recueil *Oh merveille*, dédié à l'artiste (2004).

Publication de l'essai *Le livre des branches. Dans l'atelier d'Alexandre Hollan* (2005).

Au Musée d'art de Joliette, commissaire de l'exposition individuelle de l'artiste sous le titre *Un seul arbre* (du 15 octobre 2006 au 14 janvier 2007). Conception du projet, rédaction du texte du catalogue, lecture.

2002-2005 Autour de la TRADUCTION.

Résidence d'écrivain à la Vertalershuis (la Maison des traducteurs), à Louvain (Belgique), novembre 2002 et octobre 2003.

Ateliers de traduction au Festival franco-anglais de poésie (Paris, 2004).

Nombreux poèmes et essais parus en traduction dans des revues, des anthologies et sur Internet, en espagnol (au Mexique, en Colombie et en Argentine) et en anglais (au Québec, aux États-Unis et en France).

2003 Prix de la création artistique en région du Conseil des arts et des lettres du Québec, décerné par le Conseil de la culture de Lanaudière pour l'ensemble de l'œuvre.

Prix de la Fondation Hector-Charland pour un projet de développement international.

2003-2004 Participation aux célébrations des 50 ans des Éditions de l'Hexagone. Lectures à Québec, à Montréal (entre autres, au festival Metropolis bleu) et à Paris (au Marché de la poésie).

2004 Communication à la Rencontre québécoise internationale des écrivains, tenue par l'Académie des lettres du Québec, sous le thème « L'écrivain et la blessure ».

Mise en musique du poème « Dans l'eau du soir » par l'ensemble suisse Orion, dirigé par Jean-Claude Darbellay, pièce donnée en concert à Paris et à Brienz (Suisse).

Conférence au colloque « Art, psychanalyse et politique », organisé par le groupe Insistance, à Bruxelles.

Rédaction du texte du « W » pour l'exposition *26 objets en quête d'auteurs* tenue au Musée de la civilisation du Québec (2004-2005). Parution en catalogue.

Mise en service d'un site web:
www.louisewarren.com

Autour de la FLANDRE.

Participation au dossier Québec-Flandre de la revue *Septentrion*: « Capteurs de souffle: les pots de Beatrijs Lauwaert ».

Parution du texte « Plis, origami de la pensée » dans le catalogue de la même artiste pour une exposition à Gand.

2005 Poète invitée par l'organisme Passage d'artistes à un voyage au Japon (avril). Lectures à l'Institut franco-japonais de Tokyo et à l'Université de Meiji.

Parution de *Une collection de lumières (Poèmes choisis 1984-2004)*, anthologie préparée par André Lamarre, aux Éditions Typo.

2005-2006 — Autour du spectacle UNE COLLECTION DE LUMIÈRES.

Le spectacle solo de poésie, son et image, *Une collection de lumières*, a été créé en partenariat avec le Théâtre Hector-Charland de L'Assomption, et présenté au Festival annuel d'innovation théâtrale (le FAIT), les 10 et 11 mai 2005.

Il a été présenté à la Maison de la poésie et de la langue française Wallonie-Bruxelles, à Namur, le 20 octobre 2005 et à l'ouverture du Marché de la poésie de Montréal, à la maison de la culture Plateau-Mont-Royal, le 31 mai 2006.

2006 — Participation aux rencontres littéraires « Les Petits toits du monde », tenues par l'association Terres d'encre, en Haute-Provence, les 3, 4 et 5 juin.

Participation à la tournée en France du spectacle *La ville corps et âmes*, du 7 au 14 juin 2006 (Grenoble, Lyon, Rennes et Paris).

Publication de *Nuage de marbre*, automne 2006 (essai).

BIBLIOGRAPHIE

Poésie

L'amant gris, Montréal, Triptyque, 1984.
Madeleine de janvier à septembre, Montréal, Triptyque, 1985.
Écrire la lumière, Montréal, Triptyque, 1986.
Comme deux femmes peintres, Montréal, La Nouvelle Barre du jour, 1987.
Notes et paysages, Montréal, Éditions du remue-ménage, 1990.
Terra incognita, Montréal, Éditions du remue-ménage, 1991.
Le lièvre de mars, Montréal, l'Hexagone, 1994.
Noyée quelques secondes, Montréal, l'Hexagone, 1997.
Suite pour une robe, Montréal, l'Hexagone, 1999.
La lumière, l'arbre, le trait, Montréal, l'Hexagone, 2001.
La pratique du bleu, Montréal, l'Hexagone, 2002.
Soleil comme un oracle, Montréal, l'Hexagone, 2003.
Oh merveille, Grenoble, pré # carré, 2004.
Une collection de lumières (Poèmes choisis 1984-2004), Montréal, Typo, 2005.
Une pierre sur une pierre, Montréal, l'Hexagone, 2006.

Essais

Léonise Valois, femme de lettres (1868-1936). Un portrait, Montréal, l'Hexagone, 1993.
Interroger l'intensité, Laval, Trois, 1999.

Bleu de Delft. Archives de solitude, Montréal, Trait d'union, 2001.

Le livre des branches. Dans l'atelier d'Alexandre Hollan, Orléans, Éditions Le Pli, 2005.

Objets du monde. Archives du vivant, Montréal, VLB éditeur, 2005.

Nuage de marbre, Montréal, Leméac, 2006.

Roman

Tableaux d'Aurélie, Montréal, VLB éditeur, 1989.

Anthologie

La poésie mémoire de l'art, Trois-Rivières, Art Le Sabord, 2003.

TABLE

TYPO
TITRES PARUS

Aquin, Hubert
Blocs erratiques (E)
Archambault, Gilles
Le voyageur distrait (R)
Asselin, Olivar
Liberté de pensée (E)
Baillie, Robert
La couvade (R)
Des filles de beauté (R)
Barcelo, François
Agénor, Agénor, Agénor et Agénor (R)
Basile, Jean
Le grand khān (R)
La jument des Mongols (R)
Les voyages d'Irkoutsk (R)
Beaulieu, Victor-Lévy
Don Quichotte de la démanche (R)
Les grands-pères (R)
Jack Kérouac (E)
Jos Connaissant (R)
Race de monde (R)
Benoit, Jacques
Gisèle et le serpent (R)
Les princes (R)
Bergeron, Léandre
Dictionnaire de la langue québécoise (D)
Bersianik, Louky
Le pique-nique sur l'Acropole (R)
Bonenfant, Réjean
Un amour de papier (R)
Bonenfant, Réjean et Jacob, Louis
Les trains d'exils (R)
Borduas, Paul-Émile
Refus global et autres écrits (E)
Bouchard, Louise
Les images (R)

Boucher, Denise
Les fées ont soif (T)
Boucher, Denise et Gagnon, Madeleine
Retailles. Essai-fiction (E)
Bourassa, André-G.
Surréalisme et littérature québécoise (E)
Brossard, Nicole
L'amèr ou le chapitre effrité. Théorie-fiction (E)
Baiser vertige. Prose et poésie gaies et lesbiennes au Québec. Anthologie
Picture Theory. Théorie-fiction (E)
Brouillet, Chrystine
Chère voisine (R)
Brunet, Berthelot
Les hypocrites (R)
Le mariage blanc d'Armandine (C)
Caron, Pierre
La vraie vie de Tina Louise (R)
Chamberland, Paul
En nouvelle barbarie (E)
Terre Québec suivi de *L'afficheur hurle*, de *L'inavouable* et d'autres poèmes (P)
Champlain, Samuel de
Des Sauvages (E)
Choquette, Gilbert
La mort au verger (R)
Collectif
La nef des sorcières (T)
Nouvelles de Montréal (N)
Conan, Laure
Angéline de Montbrun (R)
Désautels, Michel
Smiley (R)

DesRuisseaux, Pierre
Dictionnaire des proverbes québécois (D)
Dorais, Michel
La mémoire du désir (E)
Dorion, Hélène
D'argile et de souffle (P)
Dubé, Danielle
Les olives noires (R)
Dubé, Marcel
Un simple soldat (T)
Dumont, Fernand
Le sort de la culture (E)
Durham, John George Lambton
Le rapport Durham (E)
Dussault, Jean-Claude
Au commencement était la tristesse (E)
Falardeau, Mira
Histoire du cinéma d'animation au Québec (E)
Farhoud, Abla
Le bonheur a la queue glissante (R)
Ferretti, Andrée et Miron, Gaston
Les grands textes indépendantistes (1774-1992) (E)
Ferretti, Andrée
Les grands textes indépendantistes (1992-2003) (E)
Renaissance en Paganie suivi de *La vie partisane* (R)
Ferron, Jacques
L'amélanchier (R)
Les confitures de coings (R)
Cotnoir (C)
Papa Boss suivi de *La créance* (R)
Le Saint-Élias (R)
Théâtre I (T)
Francœur, Lucien
Entre cuir et peau (P)
Gagnon, Madeleine
Le chant de la terre (P)
Gagnon, Madeleine et Boucher, Denise
Retailles. Essai-fiction (E)
Garneau, Hector de Saint-Denys
Regards et jeux dans l'espace et autres poèmes (P)
Garneau, Michel
La plus belle île suivi de *Moments* (P)
Gauvin, Lise
Lettres d'une autre. Essai-fiction (E)
Gélinas, Gratien
Bousille et les Justes (T)
Hier, les enfants dansaient (T)
Tit-Coq (T)
Giguère, Roland
L'âge de la parole (P)
Forêt vierge folle (P)
La main au feu (P)
Godin, Gérald
Cantouques & Cie (P)
Godin, Marcel
La cruauté des faibles (N)
Grandbois, Alain
Les îles de la nuit (P)
Graveline, Pierre
Une histoire de l'éducation et du syndicalisme enseignant au Québec (E)
Hamelin, Jean
Les occasions profitables (R)
Harvey, Jean-Charles
Les demi-civilisés (R)
Hémon, Louis
Maria Chapdelaine (R)
Hénault, Gilles
Signaux pour les voyants (P)
Jacob, Louis et Bonenfant, Réjean
Les trains d'exils (R)
Jacob, Suzanne
Flore Cocon (R)

Jasmin, Claude
La petite patrie (R)
Pleure pas, Germaine (R)
Laberge, Albert
La Scouine (R)
Laferrière, Dany
Comment faire l'amour avec un Nègre sans se fatiguer (R)
Éroshima (R)
Je suis fatigué (R)
L'odeur du café (R)
Lalonde, Robert
La belle épouvante (R)
Lamoureux, Henri
L'affrontement (R)
Les meilleurs d'entre nous (R)
Langevin, Gilbert
PoéVie (P)
Lapierre, René
L'imaginaire captif. Hubert Aquin (E)
Lapointe, Paul-Marie
Pour les âmes (P)
Le vierge incendié (P)
La Rocque, Gilbert
Corridors (R)
Les masques (R)
Le nombril (R)
Serge d'entre les morts (R)
Lasnier, Rina
Présence de l'absence (P)
Latraverse, Plume
Tout Plume (... ou presque) (P)
Leblanc, Louise
37 ½ AA (R)
Lejeune, Claire
L'atelier (E)
Lévesque, Raymond
Quand les hommes vivront d'amour (P)
Lévesque, René
Option Québec (E)
Maheux-Forcier, Louise
Une forêt pour Zoé (R)
Mailhot, Laurent
La littérature québécoise (E)
Mailhot, Laurent et Nepveu, Pierre
La poésie québécoise. Anthologie (P)
Maillet, Andrée
Le doux mal (R)
Les Montréalais (N)
Major, André
Le cabochon (R)
Marcotte, Gilles
Le roman à l'imparfait (E)
Miron, Gaston
L'homme rapaillé (P)
Monette, Madeleine
Amandes et melon (R)
Le double suspect (R)
Petites violences (R)
Montbarbut Du Plessis, Jean-Marie
Histoire de l'Amérique française (E)
Nelligan, Émile
Poésies complètes (P)
Nepveu, Pierre et Mailhot, Laurent
La poésie québécoise. Anthologie (P)
Ollivier, Émile
Passages (R)
Ouellette, Fernand
Les heures (P)
Journal dénoué (E)
La mort vive (R)
Le soleil sous la mort (P)
Tu regardais intensément Geneviève (R)
Ouellette-Michalska, Madeleine
L'échappée des discours de l'œil (E)
L'été de l'île de Grâce (R)
La femme de sable (N)
Le plat de lentilles (R)

Perrault, Pierre
Au cœur de la rose (T)
Pilon, Jean-Guy
Comme eau retenue (P)
Rioux, Marcel
La question du Québec (E)
Roy, André
L'accélérateur d'intensité (P)
Saint-Martin, Fernande
La littérature et le non-verbal (E)
Soucy, Jean-Yves
L'étranger au ballon rouge (C)
Un dieu chasseur (R)
Théoret, France
Bloody Mary (P)
Thérien, Gilles (dir.)
Figures de l'Indien (E)
Thoreau, Henry David
La désobéissance civile (E)
Tocqueville, Alexis de
Regards sur le Bas-Canada (E)
Tremblay, Jean-Alain
La nuit des Perséides (R)
Trudel, Sylvain
Le Souffle de l'harmattan (R)
Terre du roi Christian (R)
Union des écrivains québécois
Montréal des écrivains (N)
Vadeboncœur, Pierre
Les deux royaumes (E)
Gouverner ou disparaître (E)
Vallières, Pierre
Nègres blancs d'Amérique (E)
Viau, Roger
Au milieu, la montagne (R)
Villemaire, Yolande
La constellation du Cygne (R)
Meurtres à blanc (R)
La vie en prose (R)
Warren, Louise
Une collection de lumières (P)

(C) : contes ; (D) : dictionnaire ; (E) : essai ; (N) : nouvelles ; (P) : poésie ; (R) : roman ; (T) : théâtre

Cet ouvrage composé en Sabon corps 10
a été achevé d'imprimer
le vingt-deux août deux mille six
sur les presses de Transcontinental
pour le compte des
Éditions Typo.

Imprimé au Québec (Canada)